edition suhrkamp 2008

»Eine Geschichte, die unbedingt zu erzählen ist und nicht für sich selbst, sondern um der Stadt willen. Man fällt nicht leicht von der Erdkruste. Die Blicke verhaken sich. Sie werfen Anker.«
Tel Aviv heißt diese Geschichte aus einer Stadt, von der Katharina Hacker in ihrer ersten Veröffentlichung erzählt.
Tel Aviv, das ist eine Stadt, wo Menschen unterschiedlichster Herkunft und Sprachen um eine neue Heimat und um neue Lebensentwürfe ringen. Dorthin kehrt die junge Ich-Erzählerin aus Deutschland zurück, es wird ihr erster Winter in Tel Aviv werden. Sie erzählt in knapper Sprache von Begegnungen und Ereignissen, aus denen die Geschichte dieser Stadt sich zusammensetzt; sie berichtet von Freunden, beobachtet Menschen in den Cafés und auf den Straßen, die Nachbarn oder das Sterben der Alten. Unter den kühlen Blicken und klugen Fragen dieser Erzählerin werden die Dinge und die Menschen zu anderen. Es ist diese Magie, die der Prosa von Katharina Hacker die eigene Atmosphäre verschafft.
Die Stadterzählung *Tel Aviv* hält zwischen den »Gegebenheiten« der vielen Geschichten und den »imaginierten Gegebenheiten« im Blick der Erzählerin eine poetische Schwebe – so fragil, so flüchtig, wie sich Menschen in der Großstadt bewegen. Darüber hinaus zeigt diese Prosa, wie heute über die Großstadt geschrieben werden kann.
Katharina Hacker, geboren 1967 in Frankfurt, studierte Philosophie, Geschichte und Judaistik in Freiburg und Jerusalem. Sie lebt in Berlin.

Katharina Hacker

Tel Aviv

Eine Stadterzählung

Suhrkamp

edition suhrkamp 2008
Erste Auflage 1997

Erstausgabe

Satz: Otto Gutfreund, Darmstadt
Druck: Nomos Verlagsgesellschaft, Baden-Baden
Umschlag gestaltet nach einem Konzept
von Willy Fleckhaus: Rolf Staudt
Printed in Germany
ISBN 3-518-12008-5

3 4 5 6 7 8 – 10 09 08 07 06 05

Tel Aviv

Eine Stadterzählung

Will man von einer Stadt sprechen, so kann man ihr Sätze anprobieren. Es gibt zappelige Städte, die immer schon woanders zu sein scheinen, während man doch den Satz noch gar nicht beendet hat. Vielleicht auch Städte, die immer größer werden, während man spricht, ausufern und mit einem Sprung vom Satz noch nie gehört haben.
Ebenso indignierte Städte, denen man es nicht recht machen kann.
Und wenn es all diese nicht gibt, so muß man doch ausprobieren, wie es wäre, wenn es sie gäbe, um vielleicht einen richtigen Satz zu finden.

Von einem richtigen Satz hängt alles ab. Das ist eine Überzeugung, der man unbedingt anhängen muß.

Da geht einer durch die Stadt und hält Leute an.
Manchmal kommt es mir so vor, als gäbe es zu jeder Gegebenheit eine imaginierte, die am genauesten ausdrückt, was es mit dieser ersten auf sich hat.
Er geht durch die Stadt, hält Leute an und erzählt ihnen eine ihrer imaginierten Gegebenheiten. Er kann das, obwohl er sie nicht kennt. Er sieht es, wie andere sehen, daß einer hinkt oder Ringe unter den Augen hat oder Blumen in der Hand.

Wer das nicht kann, muß sich damit abfinden. Also sage ich: einige Ereignisse haben sich zugetragen. Und ich sage, es geht wirklich nicht darum, ob sie sich so oder anders zugetragen haben.
Ähnlichkeiten dagegen sind unbedingt beabsichtigt.
Ähnlichkeiten sind hübsch.
Aber die Ähnlichkeiten sind viel erfundener als alles andere. Gerade dann, wenn sie nicht zufällig sind.
Die Personen von Anfang an und einzeln vorstellen vermag ich nicht. Es ist manchmal schwer zu wissen, wer ist wer. Wie erst bei denen, die erfunden sind! Jederzeit können sie sich auf dem Absatz umdrehen und weggehen. Ich würde ihnen das keineswegs übelnehmen, aber entsprechend gering ist meine eigene Verpflichtung ihnen gegenüber. Ein Vorteil ist, daß diese Regel auch auf mich selbst zutrifft.

Viel von dem, was über Tel Aviv zu wissen ist, weiß ich nicht. Es gibt verschiedene Arten, etwas nicht zu wissen über die Stadt, in der man lebt. Wenn ich an all das denke, was ich nicht weiß über Tel Aviv, ruft es Trauer hervor. So viel verloren, denke ich, als sei man Zuschauer. Die utopischen Schichten blättern ab, wie das Meer sich in jedem Moment in die äußeren Schichten der Hauswände frißt, das Haus zerfrißt, ehe man es sich versieht.
Vieles hat so kurz existiert, ist schon vorbei. Man sieht es, dieses: Ist-Schon-Vorbei. Dann kann man erleichtert aufatmen, oder man möchte, was gerade jetzt ist, berühren und etwas Belangloses, Beschwichtigendes

murmeln, ja, ja, da bist du. Trost? Die Stadt braucht ihn nicht.

Daß ich gerade in Tel Aviv lebe, ist Zufall. Es gab eine Zeit, da hätte ich nicht eingewilligt, hier zu leben.

Die wechselnden Behausungen, in denen ich wohne, sind ebenfalls willkürlich. Mit der Zeit lernt man, worauf es bei einer neuen Wohnung ankommt. Die Stadt ist mir nicht fremd.
Gibt es warmes Wasser? Regnet es hinein? Kann man gleichzeitig einen Kühlschrank, den Boiler und den Heizofen einschalten? Gibt es Kakerlaken? Welcher Art und wie viele?
Ich lerne auch, daß es auf diese Fragen nicht ankommt. Die Antworten sind vielfältig und werden häufig auf die rücksichtsloseste Weise widerlegt. Man muß umziehen. Schon bin ich geübt, trage einen kleinen Zettel bei mir, auf dem ich die jeweilige Hausnummer, die Telefonnummer, die Postleitzahl notiere. Fragt mich einer, so weiß ich, wo ich wohne. Das Taxi vom Flughafen fährt mich, wohin ich will. Dort packe ich meine Taschen aus, laufe auf die Straße hinunter und durch die Nachbarschaft. Diejenigen, die ich nicht treffe, stelle ich mir vor: Wladimir. Idith. Den Bäcker Chaim. David und Ilana. Ruth und Avner und Schirah. Ich gehe ins Café Tamar. Sarah ist da. Ich frage mich, wo Hannah ist, die mich vom Flughafen hätte abholen sollen. Sie hat mich nicht abgeholt. Sarah gibt mir ein Rogalach. Und wenn nicht Hannah, dann Jaron.

Sarah hat sie heute noch nicht gesehen. Sie kommen nicht mehr zusammen, sagt sie. Sie haben sich getrennt. Ich schaue Sarah an. Sie gibt mir noch ein Rogalach und schaut mich nicht an.
Sie hat keine Zeit. Die Schokolade verklebt mir die Hände. Aber sie waren doch glücklich. Ich war nur fünf Wochen fort, gehe hinaus und zum Shuk, kaufe Apfelsinen und Datteln und laufe weiter zum Meer.
Alles kann sich schon geändert haben.
Tomaten sind teuer.
Aber hier ist das Meer.
Der Wind ist lau, nach Mitternacht. Streichelt unterschiedslos Haut, Gesicht, Sätze. Fische steigen an die Meeresoberfläche. Umarmte Paare, die sich küssen.
All dies fehlt jetzt. Tel Aviv, Winter.

Wie eine Schafherde setzen sich meine Gedanken in Bewegung. Dann erschreckt ein Schaf links außen und eines ganz hinten, sie machen sich auf und davon, stekken alle anderen Schafe an und laufen hierhin und dorthin. Manche aus purer Freude. Einige aus Bosheit. Plötzlich ist alles in Bewegung und stiftet Unordnung. Ich muß mich noch einmal genau umsehen.

Ich stelle mir vor, wie die Alte, die in der Unterführung zum Shuk sitzt, sehr große Büstenhalter verkauft, einschläft, und als sie aufwacht, fehlt ihr ein Schuh. Aber es waren Schuhe mit Schnürsenkel – wie kann ihr jemand einen Schuh ausgezogen haben im Schlaf? Hat keiner der Vorübergehenden etwas gesagt? Sie sitzt eine lange Weile stumm und schaut auf ihren Fuß in einem schwarzen Strumpf.

Mit Abschieden tauchen andere Gesetze auf. Dinge zeigen die Unterseiten ihrer Panzer. Alles birgt einen Schrecken oder scheint etwas zu rufen. Alles mögliche ist möglich, und wenn es sich schon nicht mehr ändern läßt, dann wird vieles komisch und traurig. Man muß etwas beiseite stehen und entdeckt, wie es sich mit Gegebenheiten verhält, wenn man sie aus diesen oder jenen Gründen nicht benutzt und nichts mit ihnen anzufangen weiß: kein Anfang, ein Ende. Unbeaufsichtigt, vorweg schon unbeachtet, setzt sich alles in Bewegung und versteint zu dünnen Bildtafeln. Als ich in Hannahs und Jarons Wohnung komme, stehen sie nebeneinander vor den Bücherregalen, die aus der Wand geschraubt sind, und vor den wie zerschlagen aussehenden Büchern. Also haben sie sich doch nicht getrennt? Schau, sagt Hannah und zeigt auf die Bücher, als wäre damit alles gesagt.

Es betrübt mich, ihre Hände so zu sehen. Ihre Hände liegen auf Gegenständen, und man merkt ihnen an, sie bemühen sich, unauffällig zu bleiben. Die Gegenstände sind schwer, weil es heiß ist, und selbst das, was sich nicht von alleine bewegen kann, zeigt, es will sich nicht bewegen. Wüßte Hannah, daß ihr etwas entzogen wird, dann könnte sie vielleicht zeitweilig Verzicht leisten.

Jetzt sind die Gegenstände schwerer, als es gut sein kann.

Weil es warm ist wie im Sommer, zu warm für den Monat Oktober, hat das Meer noch zwanzig Grad. Aber da es schon einmal geregnet hat, muß Winter sein, auf der Straße ist es viel ruhiger als sonst, viel weniger Menschen gehen vorbei, der Strand liegt beinahe verlassen.

Die fliegenden Kakerlaken sieht man schon von weitem. Sie fliegen kleinere Entfernungen, von einer Hauswand auf einen Ast und weiter zu einem Abwasserrohr, kleine Strecken, aber nichtsdestotrotz kommen sie immer näher, unbeirrt und zähe, und ein Spalt zwischen Fenster und Fensterrahmen reizt sie zu ungeahnten Anstrengungen – mach dir nichts vor, sie werden hereinkommen. Du kannst einstweilen im Zimmer stehen, einen festen Schuh hast du schon zur Hand; jetzt mußt du nur warten, bis die Kakerlake mit einem harten, knappen Geräusch auf den Kacheln landet, dann hebst du den Arm und läßt ihn niedersausen, nicht zu laut, um das Knacken des Panzers zu hören, nicht zu fest, um noch ein letztes Zappeln zu sehen, und wenn du nicht schon die nächste Kakerlake im Anflug sähest, könntest du dir erlauben, glücklich zu sein.

Wenn sie sich getrennt haben, ist das ihre Angelegenheit, sagt Sarah. Viele trennen sich. Aber man weiß nicht genau, wozu, fügt sie hinzu.

Die Zeit bewegt sich manchmal unsinnig schnell, und manchmal ist sie so groß und träge, daß man ganz sicher sein kann: fett und bewegungslos sitzt sie in irgendeinem schmierigen Sessel auf der Straße, wahrscheinlich bei den Vetteln im Cerem ha-Teimanim, und rührt sich nicht. Sowieso steckt sie uns alle in die kleinste ihrer Taschen, dort purzeln wir aufeinander, schlagen uns gegenseitig die Köpfe an und holen uns blaue Flecken. Viel zu eng. Mißgelaunt. Ständig aufgeregt.

Hannah übernachtet bei mir, und wie sie schläft, hat sie etwas von einem sehr leisen Tierchen, richtet sich schlafend auf, greift nach dem Kopfkissen und zieht es von allen Seiten über den Kopf. Dabei macht sie ein ernstes Gesicht. Rutscht das Kissen weg, versucht sie, den Kopf zur Wand zu drehen, als könne sie mit dem Zwischenraum das Licht vermindern. Lange wird sie so nicht mehr schlafen, der Lärm zerrt an ihrem Schlaf, klingt ab, kehrt zurück, ein kleines Flugzeug, der Straßenfeger, dann wieder ein schweres Motorrad oder ein Lastwagen, das Rufen des Alte-Sachen-Händlers. Es sieht so aus, als versuche sie, ihre Lautlosigkeit dem Lärmen der Straße entgegenzusetzen.

Ein paar Tage später ist es mit einem Mal ganz still. Für Minuten hört man nur die Radios. Die Stadt verstummt, sie hört nichts mehr und will nichts mehr hören, wischt sich das Blut ab. Später sitzen und stehen Leute vor den Fernsehern in den Cafés. In jedem Gespräch immer wieder Brocken. Die Toten. Die Verletzten. Die Palästinenser. Die Verletzten. Die Toten. Fallen in Gespräche und Tätigkeiten wie fremde Stimmen. Ohne Namen. Sich selbst ist die Stadt fremd, will sich nicht kennen und nicht amüsieren. In das Verstummen und die Interviews fallen Tote ohne Namen und ihre Angst. Sieben Stunden später räumen Müllautos die Straße. Überreste des Autobusses. Glassplitter. Der zweite Autobus. Der Abfall der Ersten Hilfe. Blutflekken. Orthodoxe sammeln Fleischstücke, Hautreste von der Straße, den Hauswänden.
Dann die ersten Namen.
Immer mehr Namen.

Nachts, es ist schon nach Mitternacht, krächzt eine Krähe. Wie merkwürdig zu denken, daß ein Vogel plötzlich aufwachen kann oder vielleicht nicht einschlafen.

Bei uns ist alles gut, sagen sie. Falls sie sich sorgen, dann lieber heimlich. Und Avner war schon immer mager. Manchmal träumt er von Abrechnungen und Bestellungen und Ladenkosten, und sie von einer Vase und einem Krug und springenden Glasuren und klirrenden Öfen.

Ruth war auf der Kunsthochschule. Avner verkauft Geschenke.
Ruth würde nie die kleinen, blumigen Keramiken nehmen und vom Dach ihrer Wohnung in Richtung Meer schleudern, unten springt eine dicke weiße Katze entsetzt auf.
Statt dessen fahren sie ans Meer, und sie bemerkt, wie komisch Avner aussieht, blaß und dünn stakt er in seinen roten Badeshorts. Sie vermeiden, einander anzusehen. Schirah läuft zum Wasser, sie läuft zurück und spielt Stunden im Sand. Die Sonne steht hoch. Also ist es heiß. Wenn jetzt ein Schiff mit violetten Segeln vorbeikäme, dann würde sie streiten und sich sofort, standrechtlich, trennen. Die ganze Wahrheit kann von einer lächerlichen Begebenheit abhängen. Von der Hitze. Dem scharfen Licht. Ohne Begehren sehen sie die nackten, versehrten Flächen des anderen Körpers.
Unter dem Laden haben sie einen Keller gemietet, in dem sie ihre Waren lagern, sortieren, hin und wieder abstauben. Ihre Kunden sind zufrieden. Wenn er die Listen durchsieht, Keramiken, getrocknete Blumen, Geschenkkarten zusammenstellt und verschickt, wenn er kontrolliert hat, daß im Laden alles vor sich geht, wie es vor sich gehen soll, sitzt er im Keller. Er muß nur seine Computer anschalten, um dort so lange zu sitzen, wie er mag. Keiner wird ihn stören: sie haben sich selbständig gemacht.
Die Katastrophe wird eingetreten sein, denkt er, wenn er im Lager erstickt zwischen unverkäuflichen Keramiken, Kerzenleuchtern mit wandernden Kamelen, getrockneten Blumen, Holzkistchen, den Mandeln in bit-

terer Schokolade. Treten Sie ein, und sehen Sie sich ganz genau um. Er sieht sich genau um.

Er sieht Schirah.
Schirah lernt beizeiten, daß sie sich vorsichtig bewegen muß, wenn sie willkommen sein will – Keramiken sind zerbrechlich. Sie bewegt sich vorsichtig und darf bleiben.

Ein kleiner dicker Mann mit einer knubbeligen Nase, schwere Hände in die Hosentaschen gebohrt, steht vor einer der zahllosen Schreinereien in Florentin und debattiert aufgeregt mit einem großen Mann, der einen fetten Bauch in ein blaues T-Shirt gezwängt hat, mürrisch aussieht und einen Hammer in der Hand schwingt. Man sieht ihnen an, daß sie es gleich wissen werden. Was? Darauf kommt es nicht an. Auch wenn es dasselbe ist, was beide wissen werden, wird das keinesfalls zu einer Einigung führen.

Die Häuser hier, in Florentin, Neweh Zedek, in Jaffo, sind in der Mehrzahl klein und verwahrlost. Werden sie angestrichen, dann machen sie sich lächerlich mit ihrem Aufputz und ihren Farben. Davor verbleicht Wäsche.
Andererseits scheint ihnen das wenig anzuhaben. Sie sehen noch immer aus wie zuvor. Das liegt vielleicht daran, daß Häuser hier einiges gewöhnt sind. Sie zerfal-

len vor dem Meer, und wenn es regnet, dann regnet es womöglich hinein. Meist kümmert man sich kaum um sie. Sollen sie zurechtkommen, die Häuser, und deswegen sehen sie erschreckt aus, wenn man sie Reparaturen und Renovationen unterzieht. Täuscht man sie nicht? Sie haben allen Grund, mißtrauisch zu sein. Man kann sie nämlich auch abreißen. Mit der größtmöglichen Leichtigkeit.

In dem Eukalyptusbaum vor dem Fenster habe ich eine Schallplatte gesehen. Im Wind rutschte sie einen Zweig tiefer, so wurde ich auf sie aufmerksam. Da ich gerne wissen wollte, um was für eine Schallplatte es sich handelt, habe ich mir von den Nachbarn ein Fernglas geliehen, um das Etikett zu lesen. Es ist das Streichquartett op. 135 von Beethoven. Soweit ich das beurteilen kann, ist sie in gutem Zustand, doch außerhalb meiner Reichweite. Den ganzen Vormittag habe ich mich gemüht und war sehr enttäuscht, daß ich nichts auszurichten vermochte.
Plötzlich scheinen mir alle Dinge außerhalb meiner Reichweite miteinander verbunden. Es ist eine lange Kette. Die Schallplatte ist dabei bloßes Zwischenspiel.

Wladimir kann verschwinden, bis man überlegt: gibt es Wladimir? Sein Haus bleibt dunkel. Die Rolläden sind geschlossen. Auf jedem Balkon steht jemand, oder es lehnt sich einer aus dem Fenster. Nur Wladimirs Haus ist abgeschieden. Es verweigert jede Aufmerksamkeit.

Aber das stimmt nicht. Das Schlimme ist nicht, daß Einsamkeit maßlos ist, sondern daß sie ihr sehr genaues, kleinliches Maß hat. Er tritt hinaus auf den Balkon, schaut auf die Straße hinunter und sieht, die Menschen gehen von einem Ort zum anderen, als wäre das nichts. Oder: einer geht die Straße entlang, ein anderer kommt ihm entgegen, und sie kennen sich. Sie bleiben stehen, reden einer mit dem anderen und verschwinden zusammen in einem Café. Er denkt sich, daß er das auch einmal versuchen muß, geht hinunter und läuft die Straße entlang und zurück, bis ihm einer begegnet. Aber der schaut ja gar nicht auf, der kennt ihn nicht und bleibt nicht stehen, ganz einfach und achtlos geht er weiter.
Manchmal wirft Wladimir Olivenkerne oder Zigarettenstummel hinunter auf den Gehweg – soll einer stolpern.

Hufe klappern auf dem Asphalt. Ein Geräusch, auch eine Farbe oder ein Geruch, kann einen glücklich machen wegen des Satzes, der es beschreibt. Hufe klappern auf dem Asphalt. Jeden Morgen höre ich den Altwarenhändler, seinen Wagen, sein Pferd. Auf dem Asphalt klappern Hufe. Der Altwarenhändler ruft: *Alte Sachen! Alte Sachen!*

Zum Beispiel alte Kühlschränke. Am aufgelassenen zentralen Busbahnhof werden sie verkauft. Garantie: zehn Jahre.

Das Pferd des Altwarenhändlers wird dann längst tot sein. In zehn Jahren. Schon jetzt sieht es nicht recht gesund aus.

Man kann die Stadt lieben, in der man lebt. Man kann in einer Stadt leben, die man liebt. Und das ist etwas ganz anderes, als gut zurechtkommen in einer Stadt. Wenn man eine Stadt liebt, dann ist sie ständig im Hintergrund dessen, was man tut in gerade dieser Stadt. Das kann stören. Eifersüchtig verlangt sie ihr Maß Aufmerksamkeit. Aber es kann einen auch glücklich machen. Jede Begegnung, jedes Ereignis und jede Tätigkeit hat ein besonderes Gewicht, eine Geschichte, die unbedingt zu erzählen ist, nicht für sich selbst, sondern um der Stadt willen. Man fällt nicht leicht von der Erdkruste. Die Blicke verhaken sich. Sie werfen Anker.

Er sitzt im hintersten Raum des langen und unübersichtlichen Ladens, in dem Galanteriewaren verkauft werden. Sie zählt Knöpfe. Sie ist fünfzig Jahre alt und hat ein dickes und ein dünnes Bein. Und sie liebt ihn. Seit dreißig Jahren arbeitet sie hier. Und seit dreiundzwanzig Jahren liebt sie ihn. Kommt einer und sucht einen Knopf, dann schüttet sie eine große Anzahl auf ein Tablett und reicht es dem Kunden. Vielleicht ist sein Knopf dabei.
Später gehen sie. Er geht, und sie geht, jeder in seiner Richtung, aber den Laden (›Rachamim‹, ›Erbarmen‹, heißt der Laden, so wie er und so wie sein Vater: ihr

Vorname) verlassen sie gemeinsam. Sie wartet, bis er die Türe aufschließt. Währenddessen lehnt sie an der Tür. Das Licht brennt noch. Neonlicht. Das Glas in der Tür ist trübe, so daß man sie nur undeutlich sieht. Aber man sieht sie. Mehr braucht es nicht. Hebt wer einen Stein auf, schlägt durch die Türe.
Rachamim, im hintersten Raum des langen Ladens, hört nur den Schlag; vielleicht denkt er, sie hat etwas heruntergeworfen, zum Teufel, denkt er, hoffentlich sammelt sie es selbst wieder auf. Es fällt ihr schwer, sich zu bücken. Sie bückt sich nicht. Sie hat ein schwaches Herz. Aber wozu das Ganze? War es ein Scherz? Die unförmige Silhouette in einer Galanteriewarenhandlung? Er wird sie nicht gekannt haben, der mit dem Stein.
Rachamim vermißt sie oft.

Erst jetzt verstehe ich, was die Katzen dort gegenüber auf der Fensterbank zu sitzen, der Straße den Rücken zuzukehren und starr ins Zimmer zu schauen haben. Aufmerksam und vermutlich lüstern belauern sie die Vogelvoliere. Morgens jedoch sind sie verunsichert. Die Vögel in der Voliere zwitschern, und die Vögel im Baum unter dem Fenster zwitschern auch. Die Katzen schauen von diesen Vögeln zu jenen Vögeln und verrenken sich den Hals.

Dann hat sie eine große Wohnung, und abends rückt sie manchmal Möbel hin und her, um zu sehen, ob sie noch Geräusche machen, noch dieselben Geräusche.

Sie kauft dasselbe ein wie früher, in großen Tüten an den Körper gepreßt, zuviel Obst, zuviel Gemüse, Brot und Käse. Das Brot schimmelt, die Früchte faulen. Viele Grüße zu Hause! sagt der Kaufmann. Hannah trägt die vollen Tüten vor sich her. (Wenn sie sich streiten, dann fallen aus den Wörtern fette, weiße Maden und zappeln auf dem Boden.) Sie müssen es nicht wissen. Schließlich müssen es ja nicht alle wissen.

Wladimir geht in den Laden des Bäckers Chaim und füllt eine große Tüte mit Kuchen, Rogalach und Blintzes und Käsekuchen. Der Bäcker Chaim schaut nicht auf. Besorgt und mürrisch sitzt er über der Zeitung, ein Anschlag, schreiben sie. Zwei Tote. Wenn er niest, stauben Puderzucker und Mehl wie Geister aus seinem Gesicht. Die Zeitung ist farbiger, als es sein Laden je sein wird, denkt Chaim.
Zwei Wochen später widerlegt sich diese Annahme, denn eine weißhaarige Frau hat Nasenbluten. Kreisrund und leuchtend tropft das Blut auf die hellgrauen Kacheln. Was für eine schöne Farbe, denkt Chaim und vergißt, der Frau ein Taschentuch anzubieten. Alle, die im Laden sind, stehen still und sehen auf die Frau – auch sie steht ganz still – und das Blut, das auf dem Stein glänzt. Als der Bäcker Chaim zu sich kommt, steckt er die Zeitung beschämt unter den Ladentisch, reicht ihr ein Taschentuch und ein Glas Wasser. Für den großen Apfelkuchen will er kein Geld. Er nimmt dem Gehilfen den Lappen aus der Hand und wischt das Blut selbst vom Boden auf.

Es ist Abend, und ich stelle mir vor, alle Boten des Botendienstes gegenüber parken ihre Vespas nebeneinander und polieren sie mit kleinen Lappen. Auf einmal ist es still, und leise fangen sie an, sich miteinander zu unterhalten, als wäre da ein Geheimnis. Dann setzen sie sich auf ihre Vespas und fliegen zwischen den Dächern davon.
Ein kleiner Wind geht, die großen dunkelgrünen Bäume bewegen ihre dickfleischigen Blätter, und für einen Augenblick sind sie graziös.

Sind die Dinge so geworden, wie sie es sich gewünscht hatten? Ruth ist Keramikerin. Macht sie, was sie will? Wenn Ruth am Morgen aufsteht, ist Avner schon wach, grübelt über Bestellungen, Rechnungen, Routen. Wenn sie ins Bad geht – sie schlägt die Tür laut zu, wie ihr auch Tassen aus der Hand fallen und wie sie Avner stößt und Schirah, all die Gegenstände, die sie morgens anfallen –, kocht Avner Kaffee und deckt den Frühstückstisch. Er deckt ihn gerne. Der Tag hat begonnen, und es ist gesund, morgens etwas zu essen. Es ist vernünftig. Morgens denkt Avner, daß alles eine Frage des guten Willens ist.

Die Unterzeichnung des Friedensvertrags mit Jordanien wird im Fernsehen live übertragen. Soll man es sich ansehen? Oder reicht die Zusammenfassung in den Abendnachrichten?
Zuwenig, sagen viele, Jordanien, was ist schon Jorda-

nien. Wird nicht auf Galiläa geschossen? Die Toten sind tot, und was ist von Jordanien zu befürchten.
Im Café Tamar ist ein großer Fernseher, dazu hat Sarah einen kleinen Farbfernseher aufgestellt, auf einem Tisch, in großem Kreis Stühle. Dort sitzt Sarah. Die dicken Beine auf einem Stuhl, die Brüste auf dem Bauch, die fetten Arme ragen aus ihrem T-Shirt, sie raucht. Sonst ist keiner da. Das Café ist leer. Frieden mit Jordanien. Sarah sieht sich um. Kommen sie denn nicht? Will keiner es sehen? Jetzt zeigt man schon die Tribüne, die Fahnen, die beiden Orchester spielen die Nationalhymnen; der König, Rabin, Clinton, heißer Wind läßt das Bild flirren wie eine Fata Morgana, Sarah hat sich aufgerichtet.
Andere kommen kurz herein, erblicken den Fernseher, gehen schon wieder, wollen dafür keine Zeit haben, für dieses Unterfangen, das es nicht wert ist, lieber gehen sie woanders hin. Man unterzeichnet den Friedensvertrag mit Jordanien, informiert Sarah nachdrücklich; was soll dieser Friedensvertrag? Und Sarah ist gekränkt, als spottete man einer Ordnung, die auch das Café Tamar halten muß.
Als hinge von diesem Versuch einer Ordnung nicht alles ab. Als wären da nicht die Toten.
Als genüge das: Nicht-Krieg.

Die Frau mit den Tüten zieht los; bevor es dunkel wird, verläßt sie noch einmal ihren Winkel vor einem Haus und zwischen zwei halbhohen Mauern, einen Meter von der Straße. Eine Tüte trägt sie über der Schulter, eine zieht sie hinter sich her. Es gelingt mir nie, mich zu erinnern, wie sie den dritten Sack transportiert, obwohl ich sicher weiß, daß es drei sind. Ihr verfilztes, langes Haar hat keine Farbe mehr, und selbst stürmischer Wind könnte es nicht bewegen.

Der Himmel ist bedeckt, nicht eben sehr, aber von einer fahrigen Schicht ausgefranster Wolken. Es könnte regnen. Jetzt ist es Anfang November. Ich schaue zu den Fenstern. Zwei Scheiben sind zerbrochen. In der einen Hand hielte ich einen kleinen blauen Lappen, in der anderen einen grauen Lumpen und liefe Wasserpfützen hinterher, die schwer einzufangen sind.

Zwischen die Rolläden eines der Fenster gegenüber – irgendeines beliebigen Fensters – schiebt sich eine Hand, plustert sich groß und blau auf und platzt. Von meinem Schreibtisch aus kann ich es genau beobachten. Sie platzt, als ein Auto dreimal und ungeduldig hupt. Ich muß annehmen, daß dort ein besonders raffinierter Mord stattfindet, und greife nach dem Telefon, um die Polizei zu benachrichtigen. Der wachhabende Polizist heißt Asulai, und er betont diesen Namen, um jeder Beleidigung vorzubeugen. Ich achte seine Gefühle, aber er weigert sich zu kommen, und er sagt, daß Hände sich nicht aufblasen und nicht platzen. Verschreckt bleibe ich sitzen und sehe aus dem Fenster. Ist dort alles wie zuvor? Am nächsten Morgen berichte ich meinem Freund Wladimir, dem dicken russischen Maler, von dem Vorfall. Zwei Tage später sehe ich die Todesanzeigen an Türen und Bäumen, und Wladimir zeigt mir das Aquarell; eine Hand, die sich bösartig aufplustert, bis sie platzt.

Avner kann nicht schlafen, deshalb langweilt er sich. Genausogut könnte er nachts in den Laden gehen und bemalte Keramiken auf dem Kopf balancieren. Ruth weiß nichts davon. Sie schläft. Als sie aufwacht, ist sie traurig und bemerkt nicht das Begehren in Avners Blikken.
Wenn Avner wie jeden Morgen das Frühstück macht, weiß er, Ruth steht nackt im Bad und reibt ihren Körper mit duftender Creme ein. Seine Lust macht ihn traurig. Wüßte er von Wladimirs Aquarell, würde er es kaufen, anstatt die eigenen knochigen Hände zu betrachten. Selbst dann wüßte Ruth nicht, weswegen Avner jeden Morgen laut mit den Tellern klappert, während er Frühstück macht. Und ich denke darüber nach, ob ich einen Mord hätte verhindern können. Ich glaube nicht, daß ich mit meiner Zeit umgehe, wie man es von mir erwarten sollte. Aber gerade jetzt klettert ein Mann aus einem anderen Fenster, der trägt eine Katze auf der Schulter, packt sie am Schwanz und schmettert sie auf die Straße. Es ist an der Zeit, schlafen zu gehen.

Vor seinem Laden – nicht viel mehr als der Eingang selbst – sitzt der Schuster, und meistens schläft er. Er läßt sich nicht gerne wecken, und wenn er tatsächlich einen Schuh repariert, dann sieht der aus, als wäre er im Schlaf repariert worden oder als habe der Schuster darauf geschlafen. Dagegen achtet er sehr auf seinen Schnurrbart, der schwarz ist und glänzt. Der Schuster redet nicht gerne, und wenn er redet, dann lispelt er. Er wirkt dumm, was nicht daran liegen kann, daß er in einem Sessel auf dem Bürgersteig sitzt und schläft. Denn auch der Besitzer des Kiosks viel weiter unten schläft häufig, seinen Stuhl so nahe an die Vespa gerückt, daß seine Füße bequem auf ihrem Sitz zu liegen kommen, womit er den Bürgersteig weitgehend blokkiert. Und er, der Besitzer des zweiten Kiosks, ist ein listiger Mensch. Als dritter schläft der Kater Joram auf einem Stuhl, vor dem ersten Kiosk, der neben dem Bäcker Chaim gelegen ist und also zwischen dem Schuster und dem zweiten Kiosk im Westen, Richtung Meer. Der hat einen Stuhl für sich allein, der grün angestrichen ist und auf dem geschrieben steht: Das ist der Stuhl des Katers Joram. Manchmal allerdings, wenn es ihm zu heiß oder zu kalt wird, schläft Joram unter dem Tisch, auf dem die Sonnenblumenkerne, die Kürbiskerne, die Mandeln, Pistazien und Cashewkerne ausgebreitet liegen. Dann ragen nur seine Pfoten unter dem Tisch hervor und zucken häufig.

Sie fängt an, sich auf ihr Gesicht zu konzentrieren, sagt Hannah, damit es nicht zu hart wird, der Mund nicht zu schmal.
Aber was denkt sie eigentlich? Daß jetzt alles schwer ist, weil sie alleine lebt? Manchmal ruft sie an oder geht

über die Straße und leuchtet. Genau so ist es: sie leuchtet. Als habe sie mit einem Mal bemerkt, sie ist es, die sich bewegt. Zufällig treffen wir uns auf der Straße, Hannah und ich und Avner oder Ruth oder wer auch immer, als hätten wir alle gewußt, daß es etwas zu feiern gibt.

Alle sind längst zusammengewachsen, diese angeblich verschiedenen Städte, die unterschiedlichen Stadtviertel, Ramath Gan und Ramath Aviv und Givath Schmuel und Bnei Brak. Vor allem Bnei Brak. Der Bus fährt weiter und leert sich, wieso steigen denn fast alle aus? Der Busfahrer murmelt ärgerlich, was ist er ärgerlich? Noch eine Straße, und der Bus füllt sich wieder, Frauen mit Kopftüchern oder Perücken, schwarze Hüte und lange Schläfenlocken, blasse Gesichter und schwarze Anzüge. Bnei Brak, die Stadt der Orthodoxen. Und Gestank. Ich registriere es allmählich, verlegen. Stinken die Menschen? Der Busfahrer holt eine Flasche Rasierwasser aus seiner Tasche, ›Tabac‹, und spritzt einige Tropfen auf den Boden neben sich. Es stinkt. In regelmäßigen Abständen spritzt der Busfahrer Rasierwasser auf den Boden. In den Straßen Berge von Abfällen, in der Nacht angezündet, fauliger Geruch mischt sich mit dem Gestank von Verbranntem, verkohltes Papier weht die Straße entlang, frische Müllhaufen, die Müllabfuhr streikt, der Busfahrer spritzt Rasierwasser auf den Boden, scharfer Geruch vollgeschissener Windeln, stell dir doch vor, sagt er zu mir, wie viele Kinder die haben, die ganze Scheiße seit zwei

Wochen auf der Straße, Pfützen und Schlieren, dazwischen die Menschen, teilnahmslos, ärmliche Läden, einer neben dem anderen aufgereiht, junge, aufgetriebene Mütter mit Kinderwagen und zwei Kleinkinder hintendrein, Männer mit Bücherpaketen unterm Arm, fette, junge Männer in schmuddeligen Hemden, die aus der Hose hängen, Füße schleifen durch Staub oder Schlamm, nicht weit hört man das Lärmen der Autobahn, ein paar Fabriken, kleine Büdchen, Peperoni schwimmen in ölig glänzendem Wasser, verdreckte Holztheken, ein Soldat lümmelt darauf. Ich steige aus, weiß längst nicht mehr, wo ich bin. Keiner reagiert auf mein Fragen. Ich habe hier nichts zu suchen. Niemand schaut mich an. Man sieht mich nicht, kein neugieriger Blick, nicht einmal ein Schulterzucken. Überhaupt ist es still. Die Kinder sind still. Die Säuglinge sind still. Freudlose Stille; anstecken kann man sich daran, wer weiß, ob man je wieder gesund wird. Daß Müllabfuhr hier noch hilft, ist kaum vorstellbar.
Auf einem Platz, der aussieht, als wären eben erst die feindlichen, plündernden Truppen abgezogen, finde ich ein öffentliches Telefon. Eine junge Frau kommt auf mich zu, kommt nahe, nahe an mich heran, starrt mit ausgewaschenem Blick, geht weiter. Ich telefoniere: vorstellen soll ich mich, aber wo? Nur über die Brücke. Auf der anderen Seite der Autobahn.
Endlich gelingt es mir, einen Taxifahrer anzuhalten. Er trägt bloß eine Kippah, weder Hut noch Schläfenlokken, er plappert unverständlich vor sich hin, er lächelt freundlich und gewitzt und weiß, daß ich jeden Preis zahlen werde, wenn er mich aus dieser Gegend bringt.

Bis zur Autobahnbrücke fährt er mich, und ohne zu murren zahle ich, laufe stumm und blind zwischen modernen Häusern, gepflegten Grünanlagen.

Daß die Stadt mir unerträglich ist, grell und in den Ohren tobt, merke ich daran, daß ich mir einen Salon mit Biedermeiermöbeln ausmale. Ich sitze auf einem Stuhl mit leicht geschwungenen Beinen und schwarz-weißem Polster, mir gegenüber eine ältere Dame mit strengem Gesicht, die den Tee eingeschenkt hat und gerade einen Zitronenkuchen anschneidet.

Man muß sich das vorstellen, daß alle, die man in einer Straße kennt, in ihren Betten liegen und schlafen, Chaim, der Apotheker, die Frau aus dem Kiosk, Elah aus dem Frisiersalon, Wladimir, die dicke Sarah mit den blauen Haaren und all die anderen. Ich stelle mir vor, alle fangen mit einem Mal an zu schlafwandeln, in einer langen Reihe wie für eine Polonaise gehen sie hintereinanderher, in Schlafanzügen und Nachthemden wandeln sie durch die Straße, die Augen weit geöffnet, und sehen nichts. Vorsichtshalber laufe ich, einen Besen in der Hand, ein Stückchen vorneweg, um die Straße zu kehren, damit sie sich nicht am Hundedreck beschmutzen oder an Glasscheiben verletzen.
Am Morgen werden sie von den Geschehnissen der Nacht nichts ahnen; nur ich werde wissen, daß sie wohlbehalten zurückgekehrt sind.

Ob sie, die zufällig in derselben Street wohnen oder arbeiten, gelegentlich voneinander träumen? Der Bäkker Chaim wacht auf und sagt: heute nacht habe ich von Sarah aus dem Café Tamar geträumt. Es war ein kühler, sonniger Tag, sie saß alleine an einem Tisch draußen, und mit einer Hand hielt sie die ganze Straße fest, damit sie nicht ausrutschen und hinfallen solle, unsere Straße.

Den kleinen, fetten Schreibwarenhändler habe ich nicht vergessen. Es ist schwer, ihn zu vergessen, selbst wenn man es möchte. Er drängt sich überall hinein und würde nicht davor zurückschrecken, die Kunden aus den anderen Läden zu ziehen, an Rockzipfeln oder Kleidersäumen, wenn man ihn ließe. Ein häßlicher Schmeichler und Halsabschneider ist er, und wenn er sich unbeobachtet glaubt, zählt er sein Geld. Ich mag ihn nicht leiden, aber frage mich doch: was macht er mit dem Geld? Denn er ist schmierig und ungepflegt, in seiner Wohnung steht ein großer geblümter Sessel, da sitzt er abends vor dem Fernseher und knackt Sonnenblumenkerne. Die Schalen spuckt er auf den Boden, und seine Frau, die noch kleiner ist als er und ihn bewundert, klaubt die Schalen wieder auf, wobei sie auf den Knien vor seinen Füßen herumrutscht.

Im Westen – man muß nur zur Allenby-Street hinuntergehen und über den Carmel-Markt – liegt das Meer still. Man hört es kaum. Es braucht nichts und niemanden, und wenn nicht mehr Sommer ist, gehört es sich selbst. Deswegen liegt man am Strand wie neben einem großen, zufriedenen Tier; nicht willkommen noch abgewiesen, hat keine Forderungen aneinander. Nur weiter oben am Strand trainieren ein paar junge Männer und wollen schön sein. Sie werfen große Blicke in die leere Runde.

Wenn man Richtung Norden geht, dann stößt man wieder auf die Allenby-Street, die einen Bogen macht und bis ans Meer reicht.
Schmutz und Parkplätze sind in Tel Aviv unerschöpfliches Gesprächsthema. An manchen Abenden quillt der Abfall aus Papierkörben und Mülleimern in die Rinnsteine, und die kleinen Parks mag man nicht betreten. Es stinkt. Kakerlaken rascheln allerorten zwischen Papieren, faulen Früchten, Essensresten und Hundekot. Was ein unerfreulicher Teil des Alltäglichen ist, wird zu schmierigem Trübsal: der Süden Tel Avivs. Und unten, in der Allenby-Street ist auch nichts anderes zu erwarten. Zwischen billigen Hotels, in deren Eingängen die Huren auf Kunden warten, und Sex-Shops sitzen Gastarbeiter stumpf vor den Fernsehern der Imbißbuden.

Etwas weiter Richtung Osten, Richtung Norden beginnt die Ben-Yehuda-Street. In der Ben-Yehuda-Street hat der Uhrmacher Hercowici seinen Laden. Dessen Tür schließt er sorgfältig, wenn eine Kundin eingetreten ist, er, der seine Frau mit einem Seidenstrumpf erwürgt hat, nie überführt. Begehrlich und schuldbewußt mustert er den Hals jeder Kundin, eine Uhr in der Hand. Denn er hat seine Frau umgebracht, nachdem sich das häusliche Unglück in den Rädchen und Schrauben seiner Uhrmacherwerkstatt festzusetzen drohte. Nachdem er keine Uhr mehr repariert hat, nachdem alle Uhren sich seiner Reparatur widersetzt haben, hat er den Mut gefunden, dem häuslichen Unglück ein gründliches Ende zu bereiten, um seinen Frieden in der Ben-Yehuda-Street wiederherzustellen.

Eines Tages wird man ihn tot hinter dem von einer Glasscheibe bedeckten Pult vorfinden, an dem er die Uhren instand gesetzt hat. Da es keine Spuren von Gewaltanwendung oder Raub gibt, ist anzunehmen, er habe seinem Leben selbst ein Ende gesetzt.

Nach meinem Einzug habe ich auf dem Balkon einen Karton mit alten Winterjacken stehengelassen. Als ich eines Morgens hinaustrat, sprang eine gefleckte Katze heraus. Die erschreckte, anmutige Bewegung hat mir gefallen, ihr Verharren auf der Balkonbrüstung, bevor sie auf das Nachbardach springt; ich habe noch den einen oder anderen Karton mit Lumpen oder alten Decken gefüllt, um vielleicht weitere Katzen anzulokken, und sie in einer doppelten Reihe aufgestellt. Und wirklich sprangen nach ein paar Tagen sechs Katzen wie von einer einzigen Feder geschleudert aus den Kartons heraus, saßen für einen Augenblick nebeneinander auf der Brüstung und verschwanden, die Schwänze, sechs Katzenschwänze, bis zuletzt gerade in die Luft gestreckt, auf dem Nachbardach.

So gut hat mir das gefallen, daß ich alle paar Stunden leise, leise hinausgegangen bin, um mich plötzlich und lauthals bemerkbar zu machen. Präzise, furchtsam und anmutig sprangen die Katzen aus den Kisten. Die Tage bekamen einen eigenen Rhythmus, und ich habe mir vorgestellt, wie ich über den Balkon und auch in der Wohnung Kartons verteile, um mit plötzlichem Lärm unzählige springende, erschrockene Katzen vor Augen zu haben.
Daraus ist nichts geworden.
Denn Katzen hören auf, sich zu fürchten. Sie werden frech, ruhig heben sie die Köpfe aus den Kartons und werfen mir böse Blicke zu, steigen gemächlich heraus und kommen auf mich zu, folgen bis in die Wohnung hinein, schlagen mit ihren Schwänzen drohende Kreise, und ich weiche vor ihnen zur Türe zurück, die ich gerade noch öffnen und zuschlagen kann, um im Treppenhaus abzuwarten, daß sie sich langweilen und freiwillig die Wohnung räumen, denn alles laute Rufen und Händeklatschen hat sie nicht beeindruckt.
Jetzt bin ich hier, im Treppenhaus, von drinnen höre ich es poltern, sie machen sich über Bücher und Schränke her, ich kann nichts tun. Soll ich etwa Polizei oder Feuerwehr rufen? Wenn sie überhaupt kommen, lachen sie mich aus.

Die Morgen sind nie harmlos und nie unschuldig. Schon bevor man aufsteht, können sie vieles ausgeheckt haben. Über Nacht haben sich die Dinge verschworen. Sie haben die Farbe verändert. Sie haben ihre Namens-

schilder vertauscht. Sie machen kleine, unheimliche Geräusche. Im dämmrigen Licht springen sie über ihre Schatten. Hin und her. Und jeden Morgen wacht die Straße anders auf.
Ist es ein heißer, trüber Tag, so wie heute, dann ist die Straße ein großer, träger Fisch, ein Karpfen, der sich mit den Flossen Luft zufächelt und von jeder Bewegung, jedem Lärmen sich würdig gestört fühlt. Dann aber kommen Schwärme kleiner, flitzender Fische und stöbern ihn auf. Und mit einem Mal zeigt sich, daß auch der fette Karpfen ein Schwarm kleiner Fische ist, die sich das Aussehen eines großen Karpfen gegeben haben, um in Ruhe schlafen zu können.

Ruth und Avner können sich auf einmal drei Tage lang entsetzliche Sorgen machen. Wieder stehen Regale auf der Straße, werden Kisten gepackt, und letzte Ware wird verschenkt: Bankrott. Waren sicher, reich zu werden, wenn nicht reich, dann gut zu leben. Jetzt haben sie Schulden und müssen sich etwas anderes einfallen lassen.
Geht man über die Straße, bemerkt man kaum: ein neuer Laden. Noch ein Café. Es kommt nicht darauf an. Gerade diese Straße ist in Mode und kann sich Härte leisten. Die Mieten steigen. Ruth und Avner machen sich Sorgen. Dann treffen sie sich mittags unvermutet. Zum Beispiel vor dem Laden, dessen blaugrüne Farben verblassen. Der alte Besitzer tut nichts dazu. Er verkauft Eier verschiedener Größe. Mit den Jahren ist er dünn und krumm geworden. Wenn alle frischen Eier

für einen Tag verkauft sind, geht er nach Hause. Alles wird so bleiben, wie es immer schon war, sagt er zum Besitzer der Polsterei. Nur die anderen kommen und gehen. Sarah nickt. Ruth und Avner küssen sich. Sie gehen essen, und dann, sagt Avner, gehen wir ins Kino, und Schirah singt, und sie küssen sich wieder. Also hören sie auf, sich zu sorgen.

Alles hat sich hier vollgesogen mit dem Lärm, der Hitze, den Rufen. Raben oder Tauben sitzen auf dem Dach, das staubige, trockene Gras im Hinterhof bevölkern lausige Kater. Immer sind die Mülltonnen umgefallen. Der Eukalyptus riecht schlecht. Vor die Fenster des Treppenaufgangs sind Plastikfolien geklebt, die an den Klebestreifen zerren. Meine Nachbarin putzt die Stufen nachts bei Kerzenlicht. Eigentlich ist nicht viel Gutes zu berichten. Aber trotzdem bewegen wir uns, als müßten wir nicht aufpassen auf uns. Keiner wird überfallen werden. Wegen zu großer Kälte muß man sich nicht sorgen. Der Regen, wenn er kommt, wird nicht lange anhalten. Alle laufen, als wären sie schon zu spät, aber man hat Zeit, in den Cafés zu sitzen. Immer wird da einer sein, den man kennt, und sei es nur vom Sehen: man kann denken, daß man nicht alleine ist. Und regelmäßig wird ein Film gedreht; gerade hier. Wir stehen im Mittelpunkt des Interesses. Gegen acht Uhr abends geht die dicke, haarige Frau in Trainingshosen und Wollsocken vorbei und bietet ein paar einzelne Blumen zum Verkauf an, die aussehen, als hätte sie einer verloren. Morgens füttert sie, dieselbe Frau mit

Bart, Tauben in dem kleinen Garten und hilft den städtischen Gärtnern in den dicken Gummistiefeln, als müßten sie durch tiefen Schlamm waten. Wo schläft diese Frau?
Wenn man jemanden sucht, der zur Straße hin wohnt, ist es üblich, von der Straße zu rufen, obwohl man natürlich aus Leibeskräften brüllen muß. Wo käme die bärtige Frau heraus, wenn man sie beim Namen riefe?

An irgendeinem Tag fällt der Winter aus dem Himmel, als wäre er die ganze Zeit drin gewesen. Wir verwandeln uns in Schatten, wie ist es dunkel unter den Wolken, und tanzen über die Autodächer, große Regenschirme in der Hand. Mein Schatten hat Zigaretten in der Manteltasche und ein Flugticket. Hannahs Schatten trägt eine Schere mit sich herum. Aus den Regenrinnen tropft es. Auf den Dächern treten Sonnenboiler von einem Fuß auf den anderen, und die Antennen taumeln, um den Wind zu täuschen. Langsam bleichen die Häuser. Alle Katzen sind aus dem Wasser gezogen.

Schirah, die Tochter von Ruth und Avner, läuft auch auf der Straße vorsichtig, denn Dinge können zerbrechen. Da sie sich aufmerksam umsieht, um nichts zu übersehen, fällt sie hin und schlägt sich das Knie auf.
Erstaunt steht sie wieder auf; man sieht, daß sie erschrocken ist, obwohl sie nicht weint. Fragt sie sich, ob sie auch eins von den zerbrechlichen Dingen ist?
Sie ist nicht entzweigegangen, aber das Knie blutet.

Am Shabbathmorgen um sechs Uhr splittert Glas. Es ist schon hell, und als ich ans Fenster springe, sehe ich einen kleinen, dicklichen Mann. Er hat ein stachliges Kinn und steht vor der eingeschlagenen Ladentür. Ein anderer, den ich nicht sehe, reicht ihm Stapel von Jeans heraus. Der draußen schaut sich nervös um. Er sieht gar nicht lustig aus. Er ist blaß.
Ich rufe die Polizei; eine Frau antwortet. Ja, sagt sie. Ich melde. Wie sieht er denn aus? Verblüfft frage ich: wollt ihr nicht kommen? Ja, aber wie sieht er denn aus. Ich beschreibe ihn kurz. Und der zweite? Den konnte ich nicht sehen, er war doch im Laden! Gut, aber wie sieht er aus? Ich sage doch, er war im Laden! Dann schau eben hin! Jetzt sind sie bestimmt längst weg, sage ich wütend und erleichtert und lege auf.
Die Sonne geht auf. Die Sonnenblumen in meinem Zimmer saugen sich mit Licht voll. Ich trete ans Fenster. Da und dort geht einer mit seinem Hund. Sonst ist alles still. Die Diebe sind fort. Ein Alter in blauer Windjacke und Baskenmütze geht vorbei, sieht die eingeschlagene Tür. Nu! sagt der Alte zur Tür. Als sich ein Polizeiauto mit großer Geschwindigkeit nähert, winkt er aufgeregt. Aber das Auto, es fährt weiter. Nu! sagt der Mann zu dem davonrasenden Polizeiauto. Dann schüttelt er den Kopf und geht.
Plötzlich beginnt die Sirene des Ladens zu heulen, nicht eben laut, aber lästig. Ein Wagen der Wach- und Schließgesellschaft kommt, der Fahrer steigt aus, sieht die Bescherung, flucht, schreit ins Funkgerät, jetzt öffnet sich ein Fenster, jetzt kommt ein Polizeiauto, ein Jeep, ein drittes Polizeiauto. Der Orthodoxe, der vor-

beigeht, schüttelt indigniert den Kopf. Dann zerstreuen sich alle. Der Laden bleibt offen. Es ist ja noch so früh. Vögel zwitschern. Wo der kleine Mann mit dem stacheligen Kinn sein mag? Fürchtet er sich noch? Teilen sie die Jeans zwischen sich auf? Es ist Shabbath. Aus einer Synagoge hört man Gesang.

Am Strand sitzen auf Stühlen Menschen und sehen dem Sonnenuntergang zu. Oder sie promenieren. Ein paar ziehen sich aus und schwimmen, kleine Köpfe auf einer ruhigen Wasseroberfläche.
Der ältere Mann, der vor mir geht, bricht mit einem Mal zusammen. Ganz still liegt er und ist tot. Jemand kommt angerannt: ein Arzt. Massiert seine Brust und fühlt seinen Puls, öffnet das Hemd, ein blaues Jeanshemd, drum herum stumme Zuschauer. Ist schon tot. Zwei Mädchen sitzen auf dem Mäuerchen und setzen ihre Unterhaltung fort. Im Blumenbeet läuft eine Maus.

Der Shuk rasselt wie hundert häßliche Kinder mit Holzrasseln. Hosen baumeln von den Markisen wie Erhängte, und Berge von Unterwäsche schlagen einem nasse Lappen ins Gesicht. So ein Tag ist das. Auf einem klebrigen Kühlschrank liegt ein rasierter Schweinefuß. In den Gassen schwimmen Hühnerbeine und Kohlköpfe. Die Überdachungen seufzen unter dem Gewicht des Wassers. Dann schütteln sie sich hämisch. Fische, tote und lebendige, frieren in den Blechbehältnissen. Dem Jungen, der Kaffee austrägt, weht es die Tassen vom Tablett. Nur die Händler von Wollpullovern und Regenschirmen grinsen zufrieden. Sie haben es heute nicht nötig, laut zu rufen.

Wladimir lehnt aus dem Fenster. Keiner weiß, wie er seine Zeit verbringt. Er hat Ilana kennengelernt. Ilana ist Tänzerin. Wenn sie tanzt, sitzt ihr Mann, David, in der ersten Reihe auf dem äußersten Stuhl und erkennt ihr Gesicht nicht. Seit fünfzehn Jahren sitzt er immer auf dem gleichen Platz. Er weiß das Rätsel nicht zu lösen. Es ist nicht ihr Gesicht. Weder das, das er kennengelernt hat, noch das um sechzehn Jahre gealterte.

Wladimir hat zuerst all ihre Gesichter gesehen. Das kann vorkommen. Auch wenn es merkwürdig ist. Ihre Gesichter werden ihn nicht verwundern, ebensowenig wie ihr erstes Gesicht, wenn es tatsächlich ihr erstes Gesicht ist, oder ein Gesicht unter anderen, oder kein Gesicht.

Wenn er jetzt etwas sieht, was ihm unverständlich ist und ihn beunruhigt, eine Geste, eine Entscheidung, ein Lachen oder eine Bosheit, versucht er – anstatt schnell wegzusehen – sich vorzustellen, wie Ilana tanzt. Gelingt es ihm, dann meint er zu verstehen. Ihr Tanz ermöglicht es ihm, Bewegungen auszumachen, die er nicht ertragen würde.

Hannah und Jaron begegnen sich. Da sie in demselben Stadtviertel wohnen, ist das nicht verwunderlich. Als sie sich sehen, fliegen ihre Gesichter auf und verstreuen sich.
Dann haben sie sich schon wieder gefaßt.
Er hat ein Glas zerbrochen und sich geschnitten. Blaß steht er am Spülstein und schaut zu, wie die Tropfen im Wasser verschwimmen. Eigentlich würde er sie, sie liest, gerne rufen, aber das scheint ihm unpassend. Er kämpft Übelkeit nieder. Muß sie die Gläser immer an den Rand stellen? Er hält sich fest. Gerne würde er sie jetzt rufen. Sie könnte ihm die Hand verbinden und ihn umarmen. Aber diese Umarmung, an die er denkt, gehört der Vergangenheit an.
Sie gehen in ein Café.
Wenn ich sie zufällig von der anderen Straßenseite aus sehe, eile ich weiter. Ihr Gespräch kann ich mir vorstellen. Jeder beweist, wie gut es ihm geht. Viel besser. Hannah sitzt sehr gerade.

In eisernen Käfigen, die an den Hauswänden befestigt sind, hängen die Klimaanlagen. Warum braucht eine Klimaanlage einen Käfig? Würde sie sonst gestohlen werden? Ich stelle mir einen kleinen, schmächtigen Dieb vor, der mühsam eine Klimaanlage abmontiert und mit ihr in den Armen davonläuft. Dann sehe ich, daß jetzt in der Hauswand ein Loch ist, durch das ein anderer, zweiter Dieb ohne weiteres ins Haus gelangen könnte; schon zieht er sich hoch und schwingt einen Fuß hinein. Was er wohl finden wird?

Es gibt, besonders nachts, ganze Höfe voller Klimaanlagen. Drumherum ist es dann sehr still, wie vor einem Konzert, und man hört nur ihr Brummen und Tropfen. Alles könnte ganz anders sein und an anderem Ort.

Der Regen setzt wieder ein. Es stürmt, daß die Laternen nicht zu leuchten wissen. Mein Telefon krächzt, erholt sich noch einmal täuschend, dann ist die Leitung tot. Ein ohrenbetäubender Tod. Die Kibbuzim im Süden sind von der Außenwelt abgeschnitten.
Es ist Winter, melden sie im Radio. Mit jedem Regen fängt der Winter von neuem an. Die Nachrichten beginnen mit dem Straßenbericht. Autos stehen hilflos vor Pfützen. Autofahrer klettern ängstlich auf Autodächer. In der Wüste suchen Truppen nach den Verschollenen. Ein Beduinenjunge ist gerettet worden. Zwei Familien wurden wohlbehalten auf der Skorpionshöhe aufgefunden.
Es ist Winter, sagen sie im Radio und senden passende Musik. Gemütliche Musik. Die Musik, die man auch im Golfkrieg gespielt hat. Zur Beruhigung.
Mein Telefon ist kaputt, und ich bin von der Außenwelt abgeschnitten. Telefongespräche wären zu führen, dringliche und andere. Gut. Hier bin ich allein in meiner Wohnung. Die versäumten Gespräche schlängeln sich die Wände entlang. Weil die Fenster geschlossen sind, ziehen sie an den Füßen Staub hinter sich her, und ihre Bewegungen sind dümmlich wie ein grotesker Tanz. Eine magere, lange Hand folgt ihnen, um sie einzufangen. Die grellbemalten Kacheln rütteln ihre

Ritzen zurecht. Ameisen sterben in der Kälte. Bäume lehnen erschöpft an den Hausmauern. Ein verfluchter Tag, sagt meine Nachbarin, deren Lampe explodiert ist, und berührt die Mesusah.

David, Ilanas Mann, läuft tagsüber durch die Stadt, nachts sitzt er über den Computerspielen ihres Sohnes. Er läuft, weil sein Fahrrad gestohlen worden ist, vom Süden der Stadt bis in den Norden und zurück. Seit er zu Fuß gehen muß, sieht er viel mehr, zum Beispiel den Mann ohne Bein, sieht, daß der nur ein Auge hat und das andere aus Glas ist. Dann gibt es die Frau, die Büstenhalter und gerüschte Unterhosen in besonders großen Größen verkauft. Und den Russen, der Saxophon spielt, und die Russin, die Geige spielt, und eine Araberin, die manchmal Feigen verkauft, meistens aber gar nichts. Ein Frommer schreit Gebete, um den Verkehr aufzuhalten. Natürlich sind diejenigen in der Überzahl, die nur einkaufen gehen oder etwas zur Reparatur bringen, von der Arbeit kommen oder eine Verabredung haben. Aber, denkt David, es sind die anderen, die immer mehr werden.

Freunde stellen Jaron eine geschiedene Frau mit zwei kleinen Töchtern vor und Hannah einen Geschäftsmann.

Wenn Chamsin ist, Scharav, heißer Wind aus dem Osten, dann überzieht die Stadt ein gelblicher, kränkelnder Himmel. Für den Unrat ist das ein Zeichen, sich zu vermehren und herumzutreiben und jedem in die Augen zu springen wie mit Krallen. Am besten wäre es dann, gar nicht zu atmen, aber man muß ja atmen, obwohl selbst die Antennen mühselig und dünn über den Häusern staksen, wie Kranke, die sich an den Gitterstäben ihrer Betten festklammern, und man beneidet die Schwalben, gerade noch sind sie da, bevor sie weiterfliegen, die so tun, als mache ihnen dies alles gar nichts aus.

Raiah Diamand ist tot. Gelblich und zäh liegen Schnitzel noch die sieben Tage der Schiw'ah im Schaufenster. Große Gläser sind das letzte Mal mit Gemüsen gefüllt, die sie selbst eingelegt hat. Nie wieder wird einer den eingelegten Blumenkohl der Gewereth Diamand essen. Oder ihren Tscholenth. Menschen stehen vor den schwarz-weißen Plakaten am Schaufenster und an den Bäumen, und ihre Zungen wundern sich. Jeden Mittag wird etwas einen anderen Geschmack haben. Und wie wird man sich erinnern?

Im Autobus von Jerusalem nach Tel Aviv sitzen zwei Charedim. Der eine hat einen besonders großen Hut und der andere einen sehr langen Bart. Weil der eine vor dem anderen sitzt, dreht sich der mit dem Hut auf seinem Sitz um seinen dicken Bauch, so weit es eben geht. Sie sprechen Jiddisch. Was heißt sprechen: sie schreien. Sie diskutieren, und sie streiten, und jedenfalls schreien sie. Den ganzen Weg von Jerusalem bis nach Tel Aviv; und es ist Nacht. Die Reisenden im Autobus sagen, einer nach dem anderen: Pscht! Wenn ich gewesen bin in der Jeschiweh, schreit der eine und fuchtelt, daß er dem anderen fast den Hut vom Kopf schlägt, ist es gewesen verschmutzt. Pscht!, sagt ein Reisender und wendet sich empört um. Der Autobus schaukelt. Es ist bitterkalt. Gut wäre es, sich zusammenzurollen und zu schlafen. Rega, Rega! brüllt der andere, daß die Lichter in der Ebene auffahren. Pscht!, sagen wir. Wollen sie uns nicht hören? Sprecht doch leise, sagt eine Frau müde. Aber wir sind an einem ganz anderen Ort. Unsere Stimmen haben kein Gewicht. Gott hat die Menschen verstreut, damit sie einander nicht hören. So steht es geschrieben.

Es kann überflüssig werden, traurig zu sein. David steht morgens auf, und Ilana steht auf, und beide haben das Gefühl, daß der Schlaf sie ein weiteres Stück auseinandergetrieben hat. Wie macht er das, der Schlaf?
Ihre Träume wissen nicht viel Gutes voneinander.
Sie tun, was zu tun ist. Lächelnd machen sie für ihren Sohn das Frühstück und schicken ihn auf den Weg. Ist er aus der Tür, dann bleibt einer in der Küche, und der andere geht ins Wohnzimmer. Ilana trägt eine Jogginghose und ein ärmelloses T-Shirt, er kann diese Farbe nicht leiden, ein muffig riechendes Blau. Morgens ist sie schwerfällig und scheint ihm weniger weit entfernt.

Diese Bewegungen werden in ihrem Tanz nicht vorkommen. Nur er kennt sie, nur er weiß, daß ihr jede Bewegung Mühe macht. Jeden Moment könnte sie aufhören zu tanzen. Sie denken an eine Ilana, die es gar nicht wirklich gibt, denkt er. Ich kenne Ilana so, wie sie ist und so wie sie nicht ist. Er hat gesehen, wie Wladimir sie ansieht.
Ilana sieht ihn jeden Morgen durch die Zimmer laufen, eine Tasse in der Hand und eine Zeitung, die er nicht liest. Wenn er wenigstens die Zeitung lesen würde. Er sieht krank aus. Warum arbeitet er nicht?

Wenn es aufhört zu regnen, selbst wenn es nur zwei oder drei Tage regnerisch war, hat sich alles verändert. Die Sonne scheint. In der Sonne ist es warm, und der Himmel ist blau. Als wären sie aus Einzelhaft entlassen, nehmen die Dinge miteinander Verbindung auf. Und es ist, als wüßte man etwas, was man vorher nicht gewußt hat.

Aber trotzdem: jeden Morgen wandert das Rechteck der Sonne hinter dem Fenster weiter nach rechts. Die Farben werden blasser. Persephone kehrt tatsächlich zu ihrem Gemahl zurück. Man kann sie nicht aufhalten.
Wenn Farben blasser werden, sieht man genauer, was sich sonst leicht übersehen läßt. Ein Russe geht von Mülltonne zu Mülltonne und sucht nach etwas Brauchbarem. Er trägt eine blaue Windjacke, es ist schon kühl. Zwei Rumänen laufen zur Arbeit und rufen sich zu.

Am Ende der Straße stellen sich die Anstreicher mit ihren Farbeimern und Bürsten auf und warten, daß einer ihre Dienste in Anspruch nimmt. Sie hocken auf kleinen Schemeln und rauchen stumm. Die Straße kommt einem ganz wunschlos vor, denkt man an die gierigen Bewegungen zur Öffnungszeit. Besonders am Freitag. In Scharen kommen die Leute und machen Shopping. Überflüssiges zeichnet sich aus. Papierschüsseln. Schnörkelige Plastiklampen. Buntbedruckte T-Shirts. Alte Telefone mit unerwarteten Krümmungen. Kleider, die man in Raten zahlt für gezählte Abende.

Später stehen Menschentrauben vor den Bars und Cafés, die seit dem Morgen überfüllt sind, und warten. Bitteschön, so ist das. Auf der Straße und den Bürgersteigen und dem Rasen des kleinen Parks gegenüber. Hinter dem Park ist die Synagoge der Chabadnikim. Der Rabbi Milubawitsch ist zwar gestorben, doch die rote Leuchtschrift blinkt: Bereitet euch auf die Ankunft des Messias vor! Auch am Shabbath blinkt es: Bereitet euch auf die Ankunft des Messias vor! Abwechselnd mit: Shabbath Schalom! Die da stehen und warten, sehen es nicht, weil sie in die andere Richtung schauen. Doch von da kommt ebenfalls nichts her.

Dort ist die Cholera ausgebrochen. Dort: können die nicht aufpassen! Ihr Gemüse und ihr Obst dürfen nicht eingeführt werden nach Israel. Wieder einmal gefährden sie uns. Und jetzt werden auch noch die Tomaten teuer. Zehn Schekel das Kilo. Statt zwei Schekel. Ihr

ganzer Dreck. Hauptsache, die Cholera kommt nicht über die Grenze.
Menschen, zusammengepfercht, könnten dort sterben.
Aber es ist weit weg.

Und manchmal will ich eine ganz andere Landschaft. Berge zum Beispiel, der Tag ist neblig, nicht kalt, aber es nieselt vom Morgen bis zum Abend. Nach zwei Stunden gemächlichen Aufstiegs erreicht man eine Hütte und ißt Suppe. Das Licht ist schläfrig, die Landschaft ist schläfrig, die Bedienung ist schläfrig. Nichts wird einen aufwecken. Im feuchten Laub hört man die Schritte nicht. Das Licht ist so unmerklich, daß es sich nicht einmal zur Nacht zu verändern braucht.
Wie tröstlich. Denn heute ist das Licht hier wie die Trompeten des Jüngsten Gerichts. Und wenn die Toten auferstehen – die Lebenden werden vom Licht verschlungen.
Selbst die Schatten sind grell.
Das heißt: es ist nicht möglich, müde zu sein.

Plötzlich überqueren alle die Straße, als habe einer ein Ballett ausgerufen. Die Hauseingänge weichen zurück. Noch rufen Kinder in den Hinterhöfen. Gleich ist Shabbath. Die gewürfelten Häuserwände färben sich rötlich, und die Antennen sind mager und unscheinbar gegen den Himmel. In diesem Moment ist es möglich, an Jerusalem als an einen nicht allzuweit entfernten Ort zu denken.

Von meinem Zimmer im zweiten Stock sehe ich Zeitungen die Straßen entlangtreiben. Und Plastiktüten. Und Papierfetzen, auf denen wichtige Nachrichten geschrieben stehen. Und leere Zigarettenpackungen. Das ist der Herbst. Nur manchmal ein Blatt von einem Baum, ein grünes Blatt. Der Straßenkehrer war noch nicht da. Auch eine Maus huscht vorbei. Es freut mich sehr, daß ich die Maus sehe, und alle Katzen laufen in zu großer Entfernung vorbei.
Gleich wird die Sonne aufgehen, die Müllabfuhr kommen, die Boten mit ihren Vespas, und der Alte-Sachen-Händler wird ausrufen. Wenn ich nach Westen schaue, weiß ich, daß dort das Meer ist.
Nach einem Sturm ist das Meer aufgewühlt. Dann zieht es sich zurück und gehört nicht mehr zur Stadt. Wenn man etwas von ihm wissen will, muß man hingehen.

Jeden Tag geht ein sehr hochgewachsener Mann die Straße entlang, und alle zwei Tage kauft er große Bögen Geschenkpapier. Das ist mit Rosen bedruckt, manchmal auch mit dicken Engeln im blauen Himmel. Wird er Geschenke einpacken? Für wen? Und warum sieht er so einsam aus?

Hannah steht vor dem Spiegel und probiert ein Kleid nach dem anderen an. Da sie nicht ausgehen wird, hat sie Zeit. Sie würde aber gerne ausgehen. Es ist kalt, und jedesmal, wenn sie nackt ist, bekommt sie eine Gänsehaut. Auf dem rechten Bein hat sie zwei blaue Flecken und am linken eine Krampfader. Der Bauch wölbt sich vorsichtig. Ihre Schultern sind kräftiger geworden. Ist sie nicht mehr schön, oder sieht sie es nicht mehr? Sie geht ins Bett, um sich unter der Decke zu wärmen. Langsam finden sich Arme und Beine und der ganze Körper wieder, als wären sie verstreut gewesen und kehrten erst jetzt zurück. Als sie sich das vorstellt, muß sie lächeln.

Sie vergißt ihre Maße.

Doch es ist ja erst neun Uhr. Oded ruft an. Wer ist Oded? Darauf kommt es nicht an. Hannah hat zweifelnd zugesagt, aber als sie aufsteht, freut sie sich plötzlich. Sie werden tanzen gehen. Und weil Hannah sich freut, sage ich: Oded ist sympathisch. Früher war er ausgesprochen rücksichtslos, seiner Frau zum Beispiel geht es seit ihrer Scheidung sehr viel besser.

Hannah denkt, eines Abends wird sie jemanden kennenlernen und mit ihm zusammenleben. Sie werden heiraten, und sie wird ein Kind bekommen. Man hat ihr beigebracht, daß man nicht länger als einstweilen allein ist: mazaw bejnajim. Ein Zwischenspiel. Und sie ist schon fünfunddreißig Jahre alt.

Bis zehn Uhr nachts mindestens hält sie den Kiosk geöffnet. Wenn keiner kommt, um etwas zu kaufen, dann ist sie allein. Deswegen hat sie einen großen Fernseher, der in anderthalb Metern Höhe über den Erdnüssen und Mandeln und Sonnenblumenkernen schwebt. Und den Kater Joram. Der räkelt sich gelangweilt. Auf einmal – so ein langer Abend und kaum einer

kommt – ist sie wütend, und vor lauter Wut ißt sie alle Erdnüsse. Aber es bekommt ihr gut. Was sage ich: ausgezeichnet bekommt es ihr.
Abends kaufen alle Zigaretten, meistens stehen sie Schlange. Hin und wieder eine Flasche Wein. Oder es schaut einer vorbei, um mit ihr zu plaudern.

Warum macht es den Ameisen nichts aus, vom Tisch zu fallen? Ich beobachte sie und habe das Gefühl, daß ihnen, den Ameisen, alles erlaubt ist.

Er kann sie so oder so betrachten, viele Jahre. Das ist die Schwierigkeit. In diesem Moment zum Beispiel, er trinkt gerade Kaffee und ißt ein Sandwich, würde er sie nie kennengelernt haben. Sie sucht ein Formular und telefoniert dabei. Ihr Gesicht versammelt sich um den kleinsten, glatten Punkt. Mit ihrer Stimme könnte sie als Ansagerin beim Jüngsten Gericht arbeiten. Dann greift sie nach ihrer Handtasche und kramt darin, vermutlich nach einem Kalender. Er hat natürlich keinen. Sie ist gereizt und sieht ihn nicht, allerdings hört sie, wie er kaut. In der Handtasche findet sie den gesuchten Brief. Gut. Er denkt, daß sie vielleicht gleich gehen wird. Aber mit einem Mal, »schau«, sagt sie gerade, »wir sprechen ja wirklich nicht über etwas, das es verdiente, kompliziert genannt zu werden«, verändert sich ihre Hand, und Gegenstände ändern die Laufrichtung. Die Gegenstände laufen auf ihre Hand zu, die ein kleines Kästchen aus Blech gefunden hat. Sie sieht ihn

an und lächelt. Ein grünes Krokodil mit einer roten Zunge.
Als sie gegangen ist, nimmt er die Zeitung und liest die Stellenanzeigen.
Wenn man alles ändern würde.
Alles? Er bereitet das Abendessen vor. Artischocken. Sie mag Artischocken. Aber Ofer, ihr Sohn, mag keine Artischocken. Er mault. Und sie ist müde.

Die gesunden Ameisen schleppen die kranken oder verletzten Ameisen fort. Bringen sie die in Sicherheit? Oder tun sie das, um sie später aufzufressen?
An irgendeinem Morgen werde ich davon aufwachen, daß Myriaden von Ameisen sich am äußersten Rand meines Körpers festgebissen haben und versuchen, mich in Richtung ihres Unterschlupfes zwischen Fenster und Fensterladen zu schleppen. Habe ich mich im Traum verletzt? Ist jetzt alles aus?
Aber erstens sind die Ameisen sehr klein. Und zweitens passe ich nicht zwischen Fenster und Fensterladen. Mach dir keine Sorgen, sage ich mir.

Mehr als vierzig Jahre lang hat er Fische verkauft, und in all den Jahren hat er unzählige Fische gegessen. Deswegen denkt er nicht etwa, daß er selbst ein Fisch ist, aber er ist sich sicher, daß von all diesen Fischen in ihm etwas geblieben ist, eine Seele, nicht größer als eine Schuppe, zum Beispiel. Und das sehnt sich immer noch nach dem Meer, wie er sich nach seiner toten Frau sehnt. Ich träume von Fischen, denkt er, verkauft sie nicht mehr, sitzt nur im Hintergrund, etwas abseits und wartet, während sein Gesicht kleiner wird und trocknet und immer kleiner wird. Hauptsache, denkt sein Sohn, daß er den Mund hält. Sonst wird er merkwürdige Dinge über Fische erzählen, die flüssige Wanderseelen haben und auch im Blutkreislauf eines Menschen zu zirkulieren wissen.

Abends nimmt man ihn nach Hause, gibt ihm einen Klaps auf die Schulter und sagt, es sei Zeit zu gehen. Dann schiebt man ihn mit einem einzigen Schwung in den Lieferwagen. Nur einmal vergißt man ihn, es ist eine warme Nacht. Er sitzt bewegungslos. Zwar würde er gerne mit den anderen mitfahren, aber er ist auch froh, daß er keinen Schubs bekommt und weiter über die Fische, die er verkauft, und die Fische, die er gegessen hat, nachdenken kann. Ihre Seelen zirkulieren in seinem Blut. Als es dunkel ist, versteht er, daß sie ihn nach und nach verlassen, die Fischseelen. Sie verdunsten, deswegen wird sein Gesicht, wird sein ganzer Körper immer kleiner. Ganz zum Schluß, so erklärt er sich das, wird er genausogroß sein wie das Auge eines Fisches. Und er denkt, was es für ein Glück ist, daß seine Frau bis zu ihrem Tod ebenfalls viele Fische gegessen hat, denn wenn es ein Leben nach dem Tod gibt und er nur noch so groß ist wie ein Fischauge, würde sie ihn womöglich gar nicht mehr sehen können.

So wie die anderen. Erst am Morgen bemerken sie, daß er weg ist, und als sie zum Shuk fahren und nach ihm Ausschau halten, fehlt jede Spur von ihm.

Wenn man umzieht, eine Wohnung verläßt, mit den Dingen darin oder ohne sie, fängt einiges an zu zirpen. Aber ich denke daran, die Stadt zu verlassen und das Land gleich mit, und wenn ich daran denke, bekomme ich es mit der Angst. Alles würde anfangen zu zirpen, und schon taub käme ich am Flughafen an. Dort stünden meine Freunde und riefen mir etwas zu, doch ich kann es nicht hören. Den ganzen Flug über und die ganze lange Zeit werde ich darüber nachdenken, was sie mir zugerufen haben.

Jetzt regnet es, endgültig. Eine Straße wird zu zwei Flüssen, die sich nicht überqueren lassen. Die Straßen sind leer, wer nicht muß, verläßt das Haus nicht. Auf einen Autobus wartet man sehr lange, und wenn er kommt, ist man ganz und gar durchnäßt, weil die Autos an einem vorbeifahren wie Kinder auf einer Wasserrutsche. Sie fahren, als könnte sich im nächsten Augenblick, und es ist sehr dunkel, der Boden unter ihren Füßen auftun.

Für Zeiten der Not kann man eine Flasche Wein bereithalten. Oder an die Mimosen denken. Im Frühling blühen zwischen Tel Aviv und Jerusalem Mimosen, die Berge hinauf und die Berge hinunter. Egal, in welche Richtung man fährt. Das braucht einen nicht zu überraschen. Aber wenn die Mimosen blühen, dann kann man stundenlang von einem Fuß auf den anderen treten, und es geschieht einem nichts Böses.

Es ist nicht etwa so, daß ich Lärm mache um den Regen. Sogar die Häuser sehen ergeben aus. Unter den kurz bemessenen Dachvorsprüngen sitzen Vögel, vor allem Tauben. Aber wo sind die Raben? Und wo sind all die Menschen, die auf den Balkonen gestanden haben, um auf die Straße zu schauen?
Es ist ein großer Regen. Die Tropfen laufen eine abschüssige Bahn hinunter und beschleunigen. Die Decke ist schwanger. Sie wölbt ihren Bauch vor. Eine Weile kommt man zurecht. Mit Eimern und Lappen und lauter Musik, wenn du aufs Klo willst, mußt du Schuhe anziehen. Die Pfützen werden größer. Aber noch kann man sich ins Bett legen, zudecken und die aufgespannten Regenschirme in der Wohnung zählen.
Später muß man auf dem Bett Zeitungspapier und Handtücher verteilen. Es regnet herein.
Selbst ins Café Tamar regnet es herein. Und andere müssen mit dem Regenschirm kochen.

Es ist auch wichtig, auf der richtigen Seite zu wohnen. Dort, wo der Schuster ist.
Der Schuster hat den Rabbi Ovadia Joseph und andere Rabbis und viel Segen im Laden, in dem ich stehe, auf der richtigen Seite, um meine Schuhe abzuholen. Meine anderen Schuhe, diejenigen, die ich anhabe, sind still vor Nässe. Die Sandalen hätten wohl keinen Grund, nicht trocken zu sein. Aber die Sandalen muß ich anziehen, wenn ich rasch den See zwischen Zimmer und Badezimmer überqueren will. Eigentlich sind es zwei Seen, denn während man große Schritte setzt, tropft es

von der gesamten Decke. Jedenfalls sind auch die Sandalen naß. Und der Schuster hat einen Freund. Der ist der Besitzer des Antiquitätenladens. Und der Antiquitätenladen ist auf der falschen Seite, wie jetzt auch der Schuster. Alleine stehe ich in seinem winzigen Laden, und von den Wänden sehen zehn bärtige Männer auf mich herab. Es ist kalt. Von nebenan kommt ein weißer Hund und sieht mich fragend an. Er ist groß, deswegen erkläre ich ihm die Situation. Doch er fordert keine Rechtfertigung. Er will nur sehen, ob ich vielleicht etwas brauche. Ich zeige ihm den Schuster, der von gegenüber winkt. Der Hund steht nachdenklich. Aber er ist kein Bernhardiner. Er kann nicht helfen. Jetzt winkt der Schuster mit beiden Händen. Könnte ich ein Schiff aus Zeitungspapier falten. Es würde bis hinunter ans Meer fahren. Auf dem Weg lüde es Äpfel und Salatköpfe, die durch den Shuk treiben. Alles würde anders kommen. Der weiße Hund seufzt und legt sich auf meine Füße. Von gegenüber winkt weiter der Schuster.

Außer den Ameisen gibt es manchmal ein sehr kleines, rundes und unbekanntes Tier auf meinem Schreibtisch, das offensichtlich gepanzert ist und sich einfach herumschubsen läßt. Es ärgert mich. Warum läßt es sich so herumschubsen, ohne auch nur den Versuch zu machen wegzulaufen?

Gerade weil es regnet und kalt ist, hat Hannah das Gefühl, die Zeit sei sehr ausgedehnt. Woran liegt das? Man könnte ihr sagen, daß die Abende länger sind. Es ist dunkel. Wenn man still sitzt, fängt man an zu frieren und denkt, daß man schon sehr lange so still sitzen muß. Als wäre nicht Winter, wenn man mit jemandem zusammenlebte. Allerdings ist es dann tatsächlich nicht so still. Einer im Haus, auch wenn er schweigt, macht immerhin Geräusche. Letztlich eine Frage der Ablenkung. Hannah ist irritiert. Irritiert sein heißt, daß alles sich in jedem einzelnen Augenblick als ein Irrtum herausstellen kann. Manchmal denkt sie daran, sich eine elektrische Bettdecke zu kaufen. Eine Wärmedecke. Anstelle eines Mannes. Der alte Witz. Und welcher Witz ersetzt ihn im Sommer? Was Jaron wohl gerade macht? Sie wandert von einem Zimmer ins andere Zimmer, wie dieser Abend weitergehen soll ist nicht ganz klar. Es wäre ziemlich mühsam, von jemandem zu erzählen, der so wenig macht wie Hannah in letzter Zeit. Aber dann ruft Oded an.

Habe ich schon gesagt, daß ich jederzeit abreisen könnte? Ich habe hier nichts zu suchen, und vielleicht wäre es an der Zeit zu gehen. Immerhin gibt es in Deutschland wenigstens Zentralheizungen. Und es regnet seltener in die Wohnungen herein. Ein guter Zeitpunkt, um zu gehen.
Manchmal habe ich Pläne und in der Tasche eine Flugkarte.
Dann rechnet die Zeit sich rückwärts. Die Tage entwin-

den sich, als wollten sie sich dafür rächen, daß ich sie abgezählt habe. Monate sind demgegenüber langmütig. Vielleicht wissen sie, daß sie unabsehbar sind. Sie lächeln freundlich wie große Tiere, die wissen, daß sie nichts zu befürchten haben. Wenn ich versuche, etwas sehr genau zu betrachten, dann vielleicht, um die Zeit zu beschwichtigen, selbst die Zeit, die ich längst nicht mehr hier bin.

In diesem Winter blieb das Wetter so klar, daß man in den Himmel hineinfiel. Das Meer war freundlich, warm und still. Alle Dinge lachten ein bißchen über die Wettervorhersage. Der See Genezareth stieg, das Tote Meer dehnte sich aus, keiner wußte, woher das Wasser kam, denn der Himmel blieb diesen Winter hell, und wenn es einmal regnete, dann als Geste für diejenigen, denen graues Licht und Wolken fehlten. Eine glückliche Zeit.

Ich weiß alles, sagt die dicke Sarah mit dem blauen Haar. Was sagt Sarah mit dem blauen Haar?
Was auch immer sie sagen mag, ihr Wort muß nicht Gesetz sein, um das größtmögliche Gewicht zu haben. Warum ist das so? Ich weiß es nicht. Aber so ist es. Vielleicht liegt es daran, daß ihre Aussage den ihr zugewiesenen Raum nicht verläßt. Man hat das Gefühl, daß ihre Herrschaft gerecht ist. Das ist eine Erleichterung.

Manchmal sieht man da zwei sitzen, die aufeinander einreden. Welche Annahmen sind plausibel? Sie lieben sich. Oder schon nicht mehr? Sie leben zusammen. Aber das ist schwierig. Die beiden an dem Tisch sind wie Hausierer. Der verrückte Schnorrer kommt und bietet ihnen an, aus der Hand zu lesen. Sie sehen auf. Sarah schüttelt nachdrücklich den Kopf in seine Richtung. Die Schachspieler werden aufmerksam.
Sarah ist bereit, dafür aufzukommen, wenn einer sich schlecht benimmt. Erst haben sie sich gestritten, dann fast geprügelt. Über einen Zeitungsartikel. Und weil der eine, Jonathan, losgelaufen ist, um die Polizei zu rufen, habe ich ihn beruhigt. Später ist er zurückgekommen. Zwicka hat sich entschuldigt, da habe ich ihm einen Kuß gegeben. Muß ich ihm einen Kuß geben? Aber sie haben sich versöhnt.

Ich denke mir das so: der Beginn einer Geschichte und das Ende einer Geschichte versuchen, ein großes, imaginäres Gleichgewicht in der Welt zu retten.
Aber wie? Was für ein Gleichgewicht?
Wie übermüdete Kinder jagt eines das andere, der Anfang das Ende, und schlimmer: das Ende den Anfang. Versuchen, mögliches Unglück mit ihrem Geschrei und den umstürzenden Gegenständen zu übertönen. Ausgerechnet an den zerbrechlichsten Dingen halten sie sich fest. Davon ist wenig Gutes zu erwarten.
Allerdings gibt es immer etwas, das um vieles zerbrechlicher ist. Ein ungenauer Gedanke zerschmettert es. Und man kann es überhaupt nur retten, wenn man beständig daran denkt.

Das ist so, wie wenn man im Zimmer sitzt und Vögel hört, die im Käfig, und solche, die im Baum sitzen. Plötzlich möchte man jeden einzelnen Vogel in die Hand nehmen. Aber es sind so viele, daß zuvor die Dämmerung hereinbrechen würde.

Der große Mann, der Bögen Geschenkpapier kauft und einsam aussieht, ist gar nicht einsam. Er ist es, der gegenüber wohnt. Ich habe gesehen, wie er die Vögel füttert. Dann steht er lange am Fenster, bis er sich plötzlich eine Uhr umbindet und zu einer sehr bestimmten Stunde das Haus verläßt. Abends hat er Besuch. Jeden Abend, so scheint es, kommt eine andere Frau. So lebt er. Und jeder dieser Frauen überreicht er ein Geschenk, das sorgfältig in Papier eingeschlagen ist. Mit Rosen bedruckt. Übrigens heißt er Amnon. Wo haben wir uns kennengelernt? Im Café Tamar natürlich. Und was schenkt er? Ich weiß es nicht, und er weiß nicht viel über die Frauen, die zu ihm kommen. Aber er überlegt jedesmal lange. Er nimmt das sehr ernst.
Und wenn eine Frau ein zweites Mal kommt? Das ist nicht vorgesehen und kommt auch nicht vor.
Ich denke mir, es ist anstrengend, allein zu leben. Und was auch immer die Wünsche dieser Frauen sein mögen: so viel Kraft brauchen wir zwischen Entscheidungen und Behauptungen und weiteren Entscheidungen, mit denen wir unser Leben zusammenhalten, daß wir froh sind, wenn wir uns ausruhen können.
Und überhaupt – ausruhen. Es fällt schwer, allein zu ruhen. Es gibt eine Ruhe, die gibt es nur zu zweit.

Wodurch unterscheiden sich der Wunsch nach einem Apfel und einer Birne voneinander?
Und wenn man die Frucht gegessen hat, woher weiß man dann, ob es sich um den Apfel oder die Birne gehandelt hat?
Und was ist vorzuziehen, einen Apfel wollen und eine Birne essen und glücklich sein? Oder unglücklich sein? Oder weder einen Apfel noch eine Birne essen?

Wenn ich mir vorstelle, daß ich fortgegangen bin, dann beunruhigt mich am meisten, was die ganze Zeit über geschieht? Wo sind die Menschen? Sind es immer noch dieselben, auch wenn man von weit weg an sie denkt? Die Frau mit den Plastiktüten? Amnon? Chaim, der Bäcker? Wladimir? Gerade diejenigen, die ich nicht wirklich kenne, aber fast täglich sehe. Eine Art stillschweigendes gemeinsames Leben. Die wenigen Kleinigkeiten, die man voneinander erfährt, die Frau mit den Plastiktüten zum Beispiel, sie liest alle Zeitungen. Auch die Literaturbeilage von »Ha Aretz«.
Und dann die Dinge, die jedes Jahr wiederkehren. Daten. Der erste Regen. Der letzte Regen, mit ihren Namen. Die Mimosen. Die Möglichkeit von Wiederholung. Die Möglichkeit von Versöhnung. Man kann den Tagen, ihrem Datum nach, noch einmal zurufen. Man kann sich an das erinnern, was einem im vergangenen Jahr geschehen ist, und weiß, daß es nicht noch einmal geschehen ist. Zum Guten. Zum Schlechten. Noch einmal kann man jedem Tag seinen Namen geben. An diesem Tag. Und plötzlich verstehe ich die Tafeln von

On Kawara. Als seien es die Tafeln eines möglichen Gesetzes. In diesem Jahr ist man an diesem Tag versöhnt: tikkun. Vielleicht hat man etwas Besonderes gesehen? Und selbst wenn nicht, so ist der Tag in seiner Abfolge über die Jahre ein Teil der Schöpfung. All das ist Teil einer Geschichte. Es gibt die Handelnden. Dann gibt es auch diejenigen, die vor allem zusehen.
Und wenn man eine Stadt, irgendeinen Ort liebt, dann denkt sich das leicht, es sei wichtig zuzusehen. Es ist wichtig. Man weiß wohl, daß es nicht stimmt, aber das macht nichts.
Es gibt irgendeine Schöpfung. Und die Geschichten oder Beinahe-Geschichten sind die Namen der Gegebenheiten. Weil es nicht nur die Tiere in bestimmter Anzahl gibt, sondern auch Gegebenheiten, müssen ihnen viele die Namen zurufen.

Ich frage mich ja selbst, warum siehst du nur zu? Verliebst du dich nicht? Lebst du mit keinem zusammen?
Es ist Winter. Eine Weile war ich fort. Jetzt laufe ich jeden Weg dreimal. Einmal laufe ich ihn, sonst ist es kein Weg. Dann laufe ich wieder zurück. Und man muß den Weg ja auch zurücklegen.
Die zurückgelegten Wege sind sorgfältig in Kellerregalen zu verwahren. Namensschildchen kennzeichnen sie, wie die weißen Schildchen an den großen Zehen der Toten.
Wer wissen will, ob er liebt oder nicht, nicht, ob er geliebt wird, denn der kann sich mit Blumen begnügen,

muß diese Schildchen eines nach dem anderen abreißen und fragen: ich liebe. Liebe nicht. Liebe. Die Schildchen sind mit Seidenfäden befestigt.
Wenn man alle Wege dreimal läuft, gibt es mehr Schildchen. Je mehr Schildchen es gibt, desto länger dauert es, sie abzureißen. Geradezu unendlich lange kann es dauern.
Es ist ratsam, Interessierten, und sei man selbst einer von ihnen, zu sagen, daß es keinen Sinn hat zu warten.

Nebel gibt es hier nicht, aber hin und wieder ist ein Morgen dunstig. Die Sheinkin-Street läuft von oben nach unten. Oben, im Osten, trifft sie den Rothschild-Boulevard, dann die Yehuda-haLevy-Street. Unten, Richtung Westen, trifft sie die Allenby-Street und den Carmel-Markt. An einem solchen dunstigen Morgen sieht man die Häuser im Osten nur verschwommen. Man kann sich vorstellen, daß dahinter die Ebene beginnt, dahinter die Berge. All das ist verbürgt, an solch einem Morgen begreift man, warum. Eine Möwe fliegt die Straße hinauf. Sie fliegt in die falsche Richtung. Irgendwo in der Ebene sitzt, ohne klare Absicht, eine Eule. Was macht sie da am hellen Tag? Hat sie etwas vergessen? Ist sie noch hungrig? Auf Hebräisch heißt sie ›Janschuf‹. Wenn ich ›Eule‹ denke, und sogar wenn ich es sage, hört sie mich keinesfalls. So ist es seit Babel. Wenn sie mich nur hören würde, dann verstünde sie sicherlich. Wie wir alles verstünden, wenn wir es nur hören würden. In der Bibel steht es geschrieben.
Und womöglich rufen deswegen die arabischen Händler mit ihren Pferdewagen auf Jiddisch: Alte Sachen!

Dann gibt es den Meschuggenen, der mit einer Kippah geht. Wenn es regnet, dann tropft er so gleichmäßig, als wolle er damit für sein asymmetrisches Gesicht aufkommen. Er läuft bettelnd hinter uns allen her, und er segnet uns. Sehr lange segnet er, ruft gute Wünsche straßenweit und hat für jeden einen Namen. Du bist Deborah, nicht wahr, sei gesund, Deborah, Gott segne dich, alles Gute!

Auch er will nicht alleine leben. Er schaut sich alle Frauen an. Manchmal sagt er einem: Ich suche eine Frau. Ich möchte heiraten.

Die Namen ändert er bei jeder Begegnung. Aber sein Segnen ist sehr bestimmt und gilt dieser Person und keiner anderen. Kein Zweifel, daß er sich nicht irrt.

Es gibt das, den Verlust einer glücklichen Zeit. Beinahe hielt man sie mit den Händen. Sie ist im Atem und auf der Haut spürbar, ist die Linie zwischen allen Bewegungen und den Dingen; Niemandsland, Todesstreifen oder sehr feines Zittern einer Membran.
Man sieht es einem an, wenn er in solch einer Zeit steckt, als kämpfe ein Körper, um sich nicht spiegelverkehrt zu spiegeln.

Jedenfalls kann man summen: Maikäfer flieg. Der Mond ist aufgegangen. Ene, mene, muh. Und aus bist du.

Wenn es Winter ist und kalt: was braucht es?
Es braucht einen Ofen. Bedenkt man die Stromausfälle, so ist ein Ölofen vorzuziehen. Vor allem in alten Häusern, dann zumindest, wenn man einen elektrischen Boiler hat. Ich habe keinen Boiler, das im Sommer lauwarme Wasser ist kalt. Aber ich habe einen Ölofen mit Brennstrumpf und Glaszylinder. Das Öl hole ich an der Tankstelle nicht weit vom Shuk. Sorgsam füllt mir der Tankwart den Kanister, wischt ihn sauber und gibt ihn mir. Ob ich ihn werde tragen können? In der Brieftasche hat er ein Bild seiner Frau und eine Knoblauchzehe gegen den bösen Blick.

Eine Kakerlake im Winter, und auf der Straße wohlgemerkt, ist etwas anderes als eine Kakerlake im Sommer. Im Sommer ist sie ein Ärgernis, das mit ständiger Vermehrung droht. Im Winter ist sie der Sommer, spöttisch raschelnd.

Die Nächte. Wie kann solch eine lange Nacht so warm sein? Man meint fast, es sei nur der verkleidete Tag.
Das Bedürfnis, still zu sitzen, ist überwältigend. Das spezifische Gewicht jedes Körperteils verändert sich. Plötzlich kann alles stehenbleiben, Uhren selbstver-

ständlich, ein Glas in der Luft, das Licht der Lampen. Dinge werden schütter und leuchten einen letzten Augenblick wie Glühwürmchen. Die Umlaufbahnen leiden keine weitere Erschütterung.
Ohne Schrecken wartet ein barocker Tod, sitzt auf einem Kalenderjahr und hat die Beine untergeschlagen.

Ich sehe Jaron. Vom Fenster aus sehe ich ihn. Er geht rasch die Straße entlang, gebeugt und dünn. Ein weißer Schal. Sein Körper taucht auf in der Nacht und verschwindet. Er nimmt seine eigene Nacht mit. Kein Mantel. Nur eine Jacke. Oder ein weiteres Gesicht. Oder eine Auskunft. Vor allem die Verweigerung jeglicher Auskunft.
Später ruft er an. Erst sagt er ›Hallo‹, dann schweigt er.
Wenn ich mit ihm spreche, ziehen sich die Dinge zusammen. Seine Konzentration – er denkt lange nach, während er einen Satz formuliert – erscheint mir als ein schwarzes Loch, das unglücklich ist. Es will die Dinge nicht anziehen. Es will nicht diese unendlich konzentrierte Materie: ein Punkt. Das Unglück ist ein schwarzes Loch. In einem fort erleidet es Verluste; Farben und Gerüche und die unvernünftigen Ausdehnungen jeder Art.
Verluste, die erst die Lust aufrufen, um sie dann zu verschlucken.

Auch der Regen hat ein Gesicht. Es gibt Regen, der lieber woanders wäre. Den Regen, der ganz und gar selbstvergessen ist. Den, der es hinter sich haben will.

Plötzlich wache ich auf und sehe ein großes, schillerndes Hochhaus. Bertolt Brecht und Jonah Wollach laufen über den Opernplatz. Jonah hat eine weiße Gallabiah an, und Brecht singt aus vollem Hals. An einer Laterne baumelt ein Gehängter: ein Nazi. Marie Luise Kaschnitz steht davor und stößt ihn mit dem Regenschirm an. Die Jahre vergehen, und die Tage vergehen langsam und bockig, als spielten sie die ›Reise nach Jerusalem‹. Aber immer noch gibt es zuwenig Stühle. In der Mitte sitzt ein toter Freund von mir, ein Chassid, und freut sich. Worüber? Denn es steht geschrieben, erklärt er, daß man sich freuen soll. Warum steht es geschrieben? Da es keinen Grund zur Freude gibt, steht es geschrieben, daß du dich freuen sollst am Laubhüttenfest. Die Stühle, aufgestellt zur ›Reise nach Jerusalem‹. Viele bleiben leer. Keiner würde sie zu zählen wissen. Und Tel Aviv wird nicht einmal erwähnt.

Eingelagerte Bücher, die darauf warten, verkauft zu werden, in Staub und Dreck: mit ihnen ist nichts anzufangen. Sie sind verstockt. Sie sagen überhaupt nichts mehr. Dazwischen deutsche Bücher. Irgend jemand hat sie aus Deutschland mitgebracht. Jetzt sind sie teuer und werden nach Deutschland zurückverkauft.
Alle Bücher beherrschen die Kunst, sich unsichtbar zu machen. Alle sehen gleich aus.

Wenn man sie zwei Stunden aus den Regalen genommen und wieder in die Regale zurückgestellt hat, wechseln sie die Farbe wie ein zutraulich gewordenes Chamäleon. Wenn man sich vorsichtig bewegt, kann man jedes einzelne herausnehmen und darin lesen, zum Beispiel: »Das Schaf (al Charub) kommt sehr zahlreich vor und ist von mittlerer, oft auch von außerordentlicher Größe.«

Wenn der Regen aufgehört hat, tropft es noch eine Weile. Er versammelt sich in den Dachrinnen und auf den Blättern und zahlreichen Gittern und debattiert mit sich selbst. Die Wolken machen sich eigenmächtig davon. Ohnmächtig ballen sich die Tropfen zusammen. Auf irgendeiner Mülltonne sitzt eine besonders fette Katze und weigert sich, ihren Pelz trockenzulecken. Sie macht ein mürrisches Gesicht.

Man könnte alles fotografieren und die Fotos numerieren. So verhindert man, daß die Fotos aneinanderkleben und zu einem einzigen, schwarzweißen Foto werden.
Die numerierten Fotos reihen sich aneinander, man möchte beruhigt sein. Dreht man sie aber um, so bemerkt man, daß das Bild auf die Rückseite der Fotos wandert. Deutlich zeichnet es sich dort ab, während die Vorderseite verblaßt, nicht bloß verblaßt, sondern fadenscheinig wird, verlogen, starke Farben zeigt, die einander bekriegen. Und nur auf der Rückseite ist noch

ein Abbild dessen, was das Bild einer Wirklichkeit war. Allerdings doch ein wenig verschoben. Unwahrscheinlich. Es gibt keinen Anhaltspunkt: man kann es nicht entziffern. Man kann nur so tun als ob.

Der Regen kommt von oben, davon ist nicht abzugehen. Er versteht es, auf seinem Recht zu beharren: nichts weiter. Wenn er damit in die Wohnung eindringt, dann ist die Wohnung, nicht er, zufällig. Keine Wohnung, kein Haus: »Schutzbau für Mensch und Gerät«. Die Definitionen sind mit einem Mal machtlos.

Amnon schenkt mir das kleine, gerahmte Foto eines Mannes mit einem Hund. Er sitzt an einem Tisch und hat die Beine übereinandergeschlagen. Das ist das Foto eines sehr kleinen Mannes, sagt Amnon, denn es ist seine Vergrößerung. Wenn er so klein ist, denke ich bei mir, dann lebt er vielleicht noch. Und ich stelle mir vor, daß er mit seinen sehr eleganten, fast damenhaften Schuhen eilig seines Weges geht.

Ich bin sicher, daß Wladimir Stunden bewegungslos in seiner Wohnung sitzt. Er sagt, daß er malt. Wie malt er, wenn er bewegungslos in einem Sessel sitzt? Manchmal wartet er insgeheim auf irgendeinen Telefonanruf. Ruft einer ihn an und fragt, was er gerade tue, dann zögert er. Er weiß, daß er nicht lügen soll. Für einen Augenblick sieht er sich, sitzend, unrasiert. Trotzdem malt er.

Sich selbst würde er damit nicht die Unwahrheit sagen.
Aber der andere, der am Telefon, sähe der Wladimir, würde er sagen, er lügt.
In gewisser Weise ist es nicht ganz klar, warum man Wladimir als Maler bezeichnen sollte.
Allerdings steht eine andere Bezeichnung nicht zur Verfügung.
Und der Mangel an deutlichen Bezeichnungen würfe seinerseits unabsehbare Schwierigkeiten auf.

Eine Wohnung ist eine Wohnung ist eine Wohnung. Aber sie ist unberechenbar. Jederzeit kann sie boshaft werden. Sie kann Ameisen ausspucken, Wasser, einen toten Fisch und Leitungen wie die verfaulenden Eingeweide des Hauses, und sie wird auf den Augenblick warten, in dem du gänzlich ungeschützt bist. Alles Gift deiner Vorgänger hat sie aufgespeichert. Krank gewesen. Ein Streit. Die Milch verschüttet. Einen Spiegel zerbrochen. Drei Tage nicht aus dem Bett aufgestanden. Eine Freundin verraten. Ohne Unterlaß rieselt Staub von Wänden und Decke. Es ist der Winkel, in dem das Licht einfällt. Es ist das unmerkliche Rütteln der Möbel.
Die Sätze beginnen mit ihrem vorzeitigen Ende.

Dieses Hereinregnen ins Haus erzeugt ein Gefühl von Schwäche. Jeder Tropfen zerteilt, selbst in der Erinnerung, die Aufmerksamkeit. Die steht gefesselt und wird ihres Lebens nicht froh. Sie bemerkt die Unfähigkeit zu vergessen, nur eine Kleinigkeit, aber unfähig. Erinnern kann sie sich ebenfalls nicht so recht, zu klein sind die Teile, die der Regen zerteilt hat. Alles verwoben zu einem Geflecht von Stimmen, und jeder kann alles gesagt haben. Wie die feinsten Auswüchse der Antennen gegen den grauen Himmel. Man kneift die Augen zu, denkt, daß man dann besser sieht, und hat sich geirrt.

Er hat nicht immer so gelebt, Amnon. Auch er war verheiratet, hatte eine Wohnung und wollte Kinder.
Von Mal zu Mal treffen sie sich.
Er würde ihr alles geben und nimmt es ihr übel, daß sie von vornherein und ohne Ansehen der Person jede Gabe unmöglich macht: alles sieht sie mit einer kleinen Verzögerung. Alles hört sie, wenn die Worte schon verdunstet sind. Er hält etwas in der Hand und will es ihr geben. In dieser Zeitspanne laufen ihre Empfindungen über die Schienen eines hölzernen, mehrstöckigen Gestells: eine Rutsche für Glasmurmeln. Am Ende jeder Kehre fallen sie ein Stück, bevor sie mit einem scharfen Klick auftreffen und weiterrollen. Kommen die Murmeln unten an, dort, wo sie nicht weiterrollen, ist schon Vergangenheit, und es hat keinen Sinn mehr, ihr etwas zu geben. Ohnmächtig muß er danebenstehen.
Vielleicht ist er jetzt glücklicher.

Der Hund auf dem Foto – wie groß ist der Hund, wenn der Mann so klein ist, daß das Foto ihn vergrößert zeigt? Steht er oder sitzt er? Das Foto kann noch in hundert Jahren betrachtet werden, und es wird unentscheidbar bleiben: sitzt oder steht der Hund?

Eines Morgens wacht Ruth früh auf, Avner und die Kinder schlafen noch, zieht sich an, trinkt Kaffee, öffnet die Wohungstür, ohne die Zeitung zu beachten, geht die Treppen hinunter, aus dem Haus und ans Meer. Der Himmel ist gleichmäßig grau, und es nieselt. Ruth trägt einen langen, dunkelgrünen Mantel, sie geht, daß es zielstrebig aussieht.
Am Strand setzt sie sich auf einen weißen Plastikstuhl, weitere Stühle stehen oder liegen im Sand, und einige spiegeln sich in den auslaufenden Wellen.
Sie denkt, daß Avner überrascht sein wird, wenn er aufwacht und sie nicht vorfindet. An Samstagen macht sie, Ruth, das Frühstück. Mit der Hand berührt sie die feuchte Haut ihres Gesichts. Dann sitzt sie still und schaut das Meer an und den bedeckten Himmel und die verregneten Möwen, sorgfältige Abstufungen von Grau. Später denkt sie an den Laden, und alles ist bunt. Eigentlich ist es langweilig, allein am Meer zu sitzen.
Als sie zurückkommt, wartet Avner.
Was erwartet er?
Aber sie ist doch allein ans Meer gegangen. Ihre Haut war feucht, und ihr Haar hat nach Meer gerochen. Mit halbem Ohr hört er, daß sie ihm vorschlägt, getrocknete Blumen zu verkaufen. Vasen gibt es ja genug, sagt

sie. Hörst du überhaupt zu, oder gefällt dir die Idee nicht? Sie werden immer mehr gemeinsame Erlebnisse verlieren. Immer mehr Dinge werden keine Bedeutung mehr haben. Sogar ihre Vergangenheit wird weniger, denkt Avner.
Er geht ins Badezimmer, das scheint Ruth nicht zu irritieren, und betrachtet sein Gesicht im Spiegel. Ihr Gesicht ist schön. Er hört Ruth und Schirah. Er hört Schirah und Ruth. In Zukunft wird es schwer zu entscheiden sein, wen ich zuerst höre, denkt er trotzig.

Die Schwierigkeit ist: Avner glaubt, daß sie eine gemeinsame Seele haben.

Tatsache ist, daß es bei mir in der Wohnung noch regnet, wenn es längst aufgehört hat zu regnen.
Findest du nicht, du übertreibst?
Gut, die Definitionen gelten nicht mehr. Oder sie sind zumindest zweifelhaft. Aber muß man sich deswegen naßregnen lassen? In geschlossenen Räumen?

Dann fahr doch ab. Was hält dich denn hier? Wie immer. Immer dieselbe Stimme, die dieselben Dinge sagt, maliziös. Kannst du dir nicht endlich etwas anderes einfallen lassen?
Aber ich werde mich nicht von einem löchrigen Dach unterkriegen lassen.
Das ist es ja, was zum Fremdsein gehört: wird es schwie-

rig, denkt man daran zu gehen, wird gar von anderen daran erinnert. Was plagst du dich hier?
Da wird Nicht-gehen-können und Bleiben-müssen zum Privileg, das man mit Neid betrachten mag.

Warum erzähle ich von dem löchrigen Dach?
Weil ich gehe, ein kleines Stück. Die Perspektive ändert sich, sie ändert sich wenig, aber sie ändert sich.
Es gibt eine Straße, in der spielt sich das meiste ab. Aber ich wohne dort nicht mehr. Ich komme und gehe. Obwohl ich nur einige Straßen weiterziehe, bin ich in einem anderen Stadtviertel.
Es ist ein kleiner Abschied. Damit läßt sich der große Abschied leicht verschieben, als hätte man Seife unter ein sehr schweres Möbel geschmiert. Mit einer Hand kann man es fortbewegen.

In der Nacht vor dem Umzug höre ich furchtsam auf den Regen, vergeblich warte ich auf die beiden Freunde, die mich mit ihrem kleinen Lieferwagen abholen wollten.
Aber ich brauche doch ihre Hilfe!
In der Nacht vor dem Umzug schlafe ich angezogen zwischen den Kartons ein. Es ist schon bald Morgen, als sie anrufen: Dieses und jenes. Ein Platter. Dann sind sie in eine Bar gegangen, um sich aufzuwärmen. Wie konntest du glauben, daß wir dich vergessen?

Es gibt Verwirrungen, die einen wie satte Schlangen umarmen. Vielleicht werden sie einen aus Versehen ersticken, denn hungrig sind sie nicht.
Ich beschließe, meinen Namen nicht an dieser Türe anzubringen.
Auch bei einem kleinen Abschied kommt Fremdheit mühelos unter.
Dagegen zähle ich die Schritte. Drei ins Bad. Fünf in die Küche. Der Spion zum Treppenhaus. Türen. Die Augen haften an dem, was sie gesehen haben. Mit hundert unsichtbaren Saugnäpfchen hafte ich an dem, was mir vertraut war. Jede Entscheidung, die der Umklammerung der großen Schlange ein Ende machen will, reißt die Saugnäpfchen gewaltsam ab.
Zweiter Tag.
Morgens, um fünf Uhr und fünfunddreißig Minuten, beginnt der Regen mit einem Wolkenbruch.
Das Wetter ist draußen. Vielleicht haben es extreme Situationen an sich, daß sie die einfachsten Sätze in höchst ungewöhnliche verwandeln und umgekehrt.
Durch die geschlossenen Fenster höre ich Raben. Es ist eine sehr große Versammlung. Du kannst wieder einschlafen.

Dann rufe ich an und sage: Ich habe eine neue Telefonnummer.

Hannah sagt mir: Ich wußte einmal, wann er ungefähr wo ist, wie man weiß, daß man Füße hat.

Sie errötet, wenn sie einen Satz dieser Art sagt.

Erinnerungen haben etwas von einer Ansammlung von Vögeln. Manchmal fliegen sie in großen Formen. Dann wieder ist jeder für sich. Mit scharfen Schnäbeln durchstoßen sie Schädeldecke und Augen.

Alte Fotos von Tel Aviv haben einen merkwürdigen Effekt. Sie wirken naiv. Und weil sie so unschuldig scheinen, weil man weiß, daß die Unschuld scheinbar ist, halten sie eine Utopie fest (diesen Ort gab es nie) und sind schmerzlich anzusehen, gerade in ihrer Harmlosigkeit. Der Strand, überfüllt beinahe, Sommer 1943. Wie sittsam ist das alles: die Kleidung, die Korbstühle, die Sonnenschirme. Und geradewegs hinter dieser Sittsamkeit und unbekümmerten Strenge meint man, das Grauen der Konzentrationslager zu sehen.
Vielleicht ist das Meer klein. Man sieht das gegenüberliegende Ufer.

In der Abendsonne spiegelt sich ein Hund im nassen Sand. Die nächste Welle wartet einen Augenblick. Sein Fell leuchtet rot, und er steht still, als wüßte er, daß die Farbe seines sich im Wasser spiegelnden Fells Teil des Lichts ist, das man nur als ›Or Chessed‹, ›Licht von Gnade‹, bezeichnen kann. Oder als ›gütig‹.

Ich sehe ein Foto an und denke, daß ich es nicht verstehe.
Aber was heißt es, ein Foto zu verstehen?
Vielleicht heißt es, alle Bilder davor und danach zu kennen. Man muß wissen können, was im Moment zuvor geschehen ist und was im Moment danach. Wissen, daß man sich dieses Foto auch in einer Woche oder einem Jahr ansehen wird und wiedererkennt. Weil ein Foto ein Augenblick ist und dauerhaft, scheint es mir eine Kontinuität zu fordern, die nur der Betrachter geben kann.
Sind wir diese Betrachter? Ich meine, verstehen wir es, diese Betrachter zu sein? Während wir doch von einem Ort zum nächsten fahren?

Hannah, die ich eine Woche lang nicht gesehen habe, erzählt mir von einer Affaire. Eher aus Versehen. In zwei Tagen fahre ich ab, hat er gesagt. Er reist viel.
Warum ist sie bedrückt?
Und Oded? frage ich.
Eine Weile wartet sie noch.
Wenn man wartet, verliert man seine eigene Zeit. Die Erwartung hat die Kraft, die Zeit der alleinigen Herrschaft des anderen zu überantworten.
Eine Zeitlang ist das Warten eine genaue Kenntnisnahme des Erwarteten. Der Hausherr ist nicht da, und in aller Ruhe kann man sich in der leeren Wohnung umsehen.
Aber es kommt vor, daß man sich etwas zu lange umsieht. Mit einem Mal ist es leer und langweilig. Wie

wenn man ein Wort allzu häufig benutzt hat. Es ist dünn geworden und windet sich unmerklich durch die Netze der Aufmerksamkeit. Wörter, die abgeschmackt sind, rechnen sich zu der Traurigkeit, die stumm ist.

Nach solchen Tagen kann der Körper, zusammengerollt, in Verteidigungsstellung geraten. Er will nichts wissen: Arme, Beine, Rücken. Das Gesicht ist sich seiner selbst nicht sicher. Und es weiß sich nicht zu verstecken. Selbst wenn es das schon vergessen haben sollte, dieses Gesicht, das Jaron jeden Tag gesehen hat, bleibt es angegriffen. Es kennt seinen Ausdruck nicht mehr, genausowenig wie die Farbe der Augen. Die Lippen sind blaß, als hätten sie nie geküßt und nie gegessen. Ein großer, häßlicher Tod läuft nebenher.

Andere Bilder setzen sich fest, mit unterschiedlichen Geschwindigkeiten. Alle stehen zusammen und zeigen ganz deutlich mit dem Finger, jeweils auf etwas anderes.
Sie hat doch gedacht, daß er anrufen würde.

Zum Andenken, warum auch nicht, habe ich in der Wohnung, die eine besonders große Pfütze ist, meinen roten Regenschirm zurückgelassen. Gerade den roten, obwohl ich auch einen schwarzen und einen grauen Regenschirm besitze. Nachts, in meiner neuen Wohnung, höre ich Feuerwehrautos ohne Unterlaß. Ich

stelle mir eine lange Reihe vor, sie alle fahren hintereinander in die Sheinkin-Street, um meinen roten Regenschirm zu retten. Andernfalls könnte er verbrennen. Dann wäre es vorbei mit der letzten Erinnerung. Oder er fühlte sich im Stich gelassen. Dieser Verrat bedürfte einer besonderen Sühne.
Für mich käme jede Hilfe zu spät. Erinnerung hätte eine unfreundliche, heisere Stimme, wie eine alte, verbitterte Frau. Abgemagert überquerte sie die Straße, und keiner dächte auch nur daran, ihr hundert Blumen zum Geschenk zu machen.
Alles in allem heißt das, es war richtig, gerade den roten Regenschirm dort zu lassen.

Wie zur Belohnung laufe ich ins Café Tamar, und alle, die ich auf der Straße sehe, lächeln. Zwei gehen umarmt, und was sie freut, nimmt einen kurzen Anlauf und springt mühelos über die hupenden Autos. Ein Kind betrachtet sein Eis mit großem Ernst. Man sieht einen Schmetterling und daß die Bäume knospen. Ich habe einen Liebsten und kenne seinen Morgen auswendig. Also steigt er in meinem Kopf ins Auto, fährt in meinem Kopf diesen oder jenen Weg, kommt in meinem Kopf an. Wie schön.

Abends sitzt Wladimir in einer Bar und sieht dort eine Frau allein an einem Tisch sitzen. Eigentlich ist es schon Nacht. Er hat eine Zeitung und beschließt, ein Glas Wein zu trinken. Ihr Profil gräbt sich in die Luft. Er schaut sie an.

Zu Hause, unbedingt wollte er es sein, der zuerst geht, stellt er sich vor, daß sie ihn bemerkt hat. Wie merkwürdig, überlegt er, wir kennen einander nicht, aber wir denken aneinander. Beide waren wir überrascht, denkt Wladimir stolz.

Bloß nicht länger auf ihn warten.
Mit Jaron telefoniert sie täglich. Die weißen Flecken ihrer Gespräche. Seine drängenden Fragen. Wie kommt es, daß du mich nicht mehr begehrst?
Nein. Ich habe niemand anderen. Du glaubst wohl nicht, daß man alleine sein kann? Jaron lacht unfroh: Aber wozu?
Vor allem zwischen den Zimmern hält sich der Schmerz. Zwischen dem Schlafzimmer und dem Wohnzimmer. Dem Wohnzimmer und der Küche. Da, wo die Wände sind. Wo man sich jedenfalls bewegen muß. Dahinter nichts.
Im nachhinein weiß er, wie aufmerksam er war. Das Aussetzen ihres Atems. Die Linie ihrer Lippen, bevor sie zu lachen beginnt.
Die Türe. Keine Erwartung mehr.

Rayah Diamand ist gestorben, und in Regen und Sonne bleichen die Zettel rasch aus. Doch man öffnet nicht. Im Fenster stehen noch immer die Gläser mit eingelegtem Blumenkohl. Mit eingelegten Gurken. Mit Mohrrüben und Paprika. Jetzt hat sich eine weiße, betäubte Schicht darübergelegt. Die Flüssigkeit, Essig, Salzwas-

ser, zerkleinerter Knoblauch, ist trübe. Vor dem Fenster steht ein alter Mann und schüttelt fassungslos den Kopf. Bestimmt war er im Ausland, zum Beispiel in Amerika, bei seinen Kindern, und erst jetzt, zurückgekommen, erfährt er von ihrem Tod. Oder ekelt er sich vor den verdorbenen Nahrungsmitteln?
Die anderen gehen gleichgültig vorbei. Noch einer von den Alten ist gestorben: Laden zu vermieten.

Ja, vielleicht hat er früher bei der Gesundheitsbehörde gearbeitet und war verantwortlich für die Hygiene der Tel Aviver Restaurants.
Vielleicht hat er dort aber auch dreimal in der Woche gegessen, jedesmal sich mit Rayah unterhalten.
Natürlich kannten sie sich nicht so gut, daß man ihm eine Todesanzeige geschickt oder gar in die Vereinigten Staaten telefoniert hätte.
Die ganze Woche ist gestört. Und er hatte kein Recht, es zu wissen und Schiw'ah zu sitzen. Plötzlich sieht er sie ganz deutlich vor sich, auch wenn es ihm unpassend scheint. So wie sich vieles erst in Abwesenheit bemerkbar macht. Aus so vielem setzt sich unser Leben zusammen, auf das wir keinen Anspruch haben.
Wer darum weinen will, muß es alleine tun.

Und in den Caféhäusern sitzen die anderen, die immer jünger sind und mehr Geld haben und mehr Muße, und es hat den Anschein, als machten sie sich wenig Sorgen. Wollen sie vor allem etwas trinken, oder sitzen sie dort, um zu sehen, wer kommt? Wird etwas Überraschendes passieren? Wird man Bekannte treffen? Wie viele? Fäden laufen über eine Pappwand und verschwinden im Geheimen. Dahinter eine Niete oder ein Preis. Nur ein Spiel, aber schwer, es nicht ernst zu nehmen. Idith sitzt allein dort, keiner kennt sie. Zur Sicherheit ist sie beschäftigt, notiert etwas auf einem Block. Sie fühlt sich sehr sichtbar – eine Frau allein in einem Café, fast vierzig Jahre alt. Die Fäden laufen über die Pappwand und in eine unklare Vergangenheit. Schwer zu sagen, ob sie Israelin ist oder nicht.

Aber jetzt kommt Noam und begrüßt sie lauthals. Noam ist Graphiker. Die meiste Zeit des Tages hockt er vor seinem kleinen Elektroofen. Zwischen dem Zeichentisch, dem Kopiergerät, dem Schrank für Druckgraphiken. Vor dem Fenster ein Baum. Wenn er aufsteht, um ans Fenster zu gehen, wird er noch dünner und zittert ein bißchen. Es ist der Winter. Im Winter geht es ihm nicht gut. Er hat mit Idith studiert. Sie werden sich erzählen, wie gut es ihnen geht. Und immerhin haben sie beide Glück gehabt, daß sie sich getroffen haben; ein Preis, eine Niete, vor den schweigenden Tagen, hinter den schweigenden Tagen in ihren Wohnungen. Jetzt regnet es. Und selbst Rayah Diamand ist gestorben.

Wenn der Regen aufhört, werden alle von Eile ergriffen. Wenn die Sonne scheint, drängeln sie sich auf der Straße, als wolle jeder etwas sagen. Abends hängt ein ungeheuerlicher halber Mond hinter den Hochhäu-

sern. Und immer noch ist die Stadt häßlich. Überhaupt ist es eine Stadt, die darauf angewiesen ist, daß man sie liebt. Womöglich besteht ihre Anziehung darin, daß sie sich nicht darum schert. Vieles wirkt veraltet, beinahe unwahrscheinlich. Die Dinge in den Schaufenstern der Allenby-Street gehören dazu. Glitzernde Kleider mit Federn und alte Schlösser und Schnabeltassen und Fähnchen und alte Zeitschriften. Kaum eingetroffen und aufgestellt, ist alles schon verblichen.
Es ist ein Ort für Dinge, die nicht am Platz sind. Vielleicht ist das, bei aller Grobheit, die Freundlichkeit Tel Avivs.

Die Flugzeuge lärmen über meinem Kopf. Gerade diese Nacht klingen ihre Motoren bedrohlich. Sie fliegen langsam. Offenkundig erwartet keiner die Reisenden.

Ich höre quietschende Bremsen und sehe ein Auto in zu engen Kurven auf zwei Rädern. Während ich entsetzt und erschrocken auf den Balkon stürze und mich weit, weit Richtung Straße beuge, bleiben sie so stehen. In der Luft. Aus purer Höflichkeit. Jetzt sehe ich, es handelt sich um ein Polizeiauto. Und ich erinnere mich daran, daß sich einige Meter von hier die Polizeistation befindet. Freundlich winken die Polizisten zu mir hinüber. Manchmal mit dem Taschentuch. Dann fällt das Auto zurück auf alle viere; und leise fahren sie davon.

Zum Beispiel machen sie einen Kontrollbesuch bei einer russischen Hure, die Hausarrest hat, in ihrem Massagesalon, bis sie abgeschoben wird. Eine sowohl effektive wie rücksichtsvolle Maßnahme.

Die Jehuda-haLevy-Street bedient nur die Büros. Untertänig und gierig hält sie verschiedenartige Buden hin, einen Kiosk, einen Kaufladen, und verkauft an alle, die aus den Büros und Banken und Versicherungen kommen. Dann ist es fünf Uhr, und alle gehen nach Hause. Nur die Apotheken bleiben geöffnet, viele Apotheken in dieser Gegend, als wolle man hier besonders gesund sein. Alles in allem eine Straße, über die nicht viel zu sagen ist. Morgens schellt eine Klingel, Halbwüchsige hängen aus den Fenstern und rufen, als gäben sie einander Kommandos. Sie brüsten sich lauthals vor den Mädchen, winken, und wenn es wieder schellt, dann sind sie mit einem Mal ganz still. Gegenüber werden Autos gewaschen, warten in langer Reihe, und glänzend fahren sie davon. Die Autobesitzer polieren noch da und dort mit eifrigen Gesichtern. Sehr beschäftigt sind sie und halten viele Gegenstände in der Hand. Einen Schwamm. Ein Telefon. Eine Zigarette.

Wie viele Straßen hier (der Rothschild-Boulevard, die Achad-haAm-Street), beschreibt auch die Jehuda-ha-Levy-Street einen weiten Bogen. Hat man es noch nicht recht begriffen, verwirrt das, als sei eine Straße an zwei Orten gleichzeitig: fängt am Meer an, entfernt sich nach Osten, erreicht wieder das Meer. Weiter unten jedenfalls hat der Advokat Samov sein Büro. Wäre es nicht dort, so müßte man es an seiner statt beschließen. Die Wirklichkeit läßt in diesem Fall nichts zu wünschen übrig. Wenn man dorthin geht, passiert man alte Männer, die auf klapprigen Schreibmaschinen für ein geringes Entgelt Briefe ans Gericht aufsetzen. Sie kennen alle Sprachen und treffen immer den richtigen Ton. Auch andere Briefe wissen sie zu schreiben. Bittende Briefe und fordernde und Briefe an die Verwandten im Ausland, das hier besonders weit weg ist. In dieser Gegend hat der Advokat Samov sein Büro und vertritt die Interessen meiner Hausherrin, Frau Maryländer, die mindestens neunzig Jahre alt ist, keine Zähne hat, keine Zähne trägt, aber einen rosafarbenen Pullover aus falscher Wolle. Und der Advokat Samov ist achtzig Jahre alt. Sein Name steht ganz allein auf dem großen, hölzernen Briefkasten mit vielen Fächern. Neben der Tür ist ein handtellergroßer Schalter aus Blech, der den schwarzen Ventilator in Betrieb setzt. Rasselnd zerteilt der Ventilator den Rauch. Es ist kalt. Feierlich unterzeichnen wir den Vertrag. Frau Maryländer lächelt begeistert.

Wenn Wladimir glaubt, daß er die Frau aus dem Café kennenlernen wird, dann ist das der Hintergrund all dessen, was er tut, obwohl von einem Ereignis nicht die Rede sein kann: es ist ja nichts geschehen, und aller Wahrscheinlichkeit nach wird das auch so bleiben.
Hat die Einsamkeit sich ausgerichtet, frißt sie seine Phantasien an. Seine Vorstellung von Glück will einfa-

che Dinge und macht sie unerreichbar. Er wacht morgens auf, und gerade an diesem Morgen würde er gerne für jemanden Frühstück machen. Er stellt sich vor, gemeinsam mit einer Frau verschlafen zu sein, etwas verquollene Augen und Sätze, die ausreichen für den ganzen kommenden Tag.
Manchmal denkt er deswegen, daß er sich so wenig wie möglich vorstellen sollte: vielleicht haben seine Wünsche die Macht, Dinge in die Ferne zu rücken? Also malt er nur Tote; das ist eine verzwickte Ethik. Er will sie so malen, daß man sieht, sie sind tot. Ist es dann taktlos, sich vor den Bildern an- und auszuziehen? Er schaut in den Spiegel und bildet sich ein, daß er kleiner geworden ist.

Idith wacht auf, und es dauert eine Weile, bis sie sich zurechtfindet. Hier das Kissen. Hier die Bettkante. Das Fenster. Das linke Bein ist geschwollen, sie kann die Zehen kaum rühren.
Man muß sich vorstellen, wie mehrere Menschen gleichzeitig aufwachen und gleichzeitig anfangen, sich zu bewegen. An mehreren Orten gleichzeitig wird die Luft verdrängt. Sarah verschiebt besonders viel Luft. Und ohne Zweifel steht sie sehr schnell auf. Sie streift sich ein Kleid über. Ihre Arme stehen hoch überm Kopf, und das weiche Fleisch zittert bläulich. Dann senkt sie die Arme und ist schon im Café. Das kann nicht anders sein, denn das Café öffnet um sieben Uhr. Und es gibt Orte, die ohne einen ganz bestimmten Menschen nicht existieren können. Vor den verblüfften

Augen der Vorübergehenden würde sich das ganze Café, der Baumstrunk in der Mitte des Raums, die Frontseite, auf die eine Palme gemalt ist, das alles samt den Stühlen und Tischen und der Theke würde sich etwas über der Straße in die Höhe heben und zu Staub zerfallen. Diese Orte und Menschen beweisen, daß die Welt vollständig von unseren Vorstellungen abhängt. Unsere Macht unbegrenzt ist. Und natürlich ist Sarah als erste im Café. Vor allen anderen ist sie da.

Idith versetzt die Luft kaum in Bewegung. Die hat anderes zu tun, und es ist möglich, von Idith abzusehen. Dabei kämmt sie sich ausdauernd. Auch die Zähne putzt sie sich lange.

Wenn sie duschen will, muß sie sich jetzt ausziehen. Eine Weile steht sie bewegungslos. Sarah müßte nie eine Entscheidung dieser Art treffen. Idith aber hat beschlossen, jeden Morgen zu duschen, und weil sie sich auf diesen Beschluß berufen muß, fängt sie an, mit sich selbst zu sprechen; streng. Die Haare gehen mir aus, denkt sie. Das stimmt gar nicht. Schade, daß man ihr das jetzt nicht sagen kann – es würde sie trösten. Aber sie steht bewegungslos im Badezimmer, und allenfalls hört sie sich selbst.

Vielleicht würde sie nicht einmal glauben, daß sie Wladimir längst aufgefallen ist, auch wenn sie natürlich nicht die Frau aus dem Café ist.

Ich wünschte, sie lernten sich kennen, und es wäre möglich zu schreiben, daß sie glücklich sind. Sie würden miteinander schlafen. Für beide wäre es das erste

Mal nach langer Zeit, beide wären aufgeregt, und danach müßte Idith nicht mehr denken, daß sie es nicht mehr kann.
Sowieso gibt es vermutlich zuwenig glückliche Menschen in meiner Geschichte. Man könnte womöglich denken, wir seien hier alle unglücklich. Das ist ein verfehlter Eindruck.

Eher ist es so: Ich kann eine sehr lange, sehr traurige Geschichte erzählen. Eigentlich ist sie gar nicht lang. Sie macht nur den Eindruck, eine lange Geschichte zu sein, weil sie so traurig ist. Alle hören zu und sind ganz aufmerksam. Wenn ich sie zu Ende erzählt habe, gehen wir gemeinsam essen. Ohne Zweifel wird es eine sehr angenehme, warme Nacht sein. Der Wind trägt den Duft der Orangenblüten in die Stadt, und weil uns mit einem Mal feierlich zumute ist, bestellen wir eine Flasche Wein. Die Geschichte haben wir längst vergessen, weil ja auch noch dieses und jenes zu erzählen ist. Außerdem lachen wir die ganze Zeit. Ja, es war eine sehr traurige Geschichte.

Zum Beispiel die entsetzliche Geschichte der Ehefrau des Advokaten Samov.
An einem sonnigen Morgen im Mai stand sie auf, öffnete entgegen ihrer Gewohnheit die Fensterläden weit, ohne sich Rechenschaft darüber abzulegen, und sah bald einen großen Raben auf dem Gasherd sitzen. Er hatte die Milch umgeschüttet und war in die Flammen

geraten, taub hüpfte er auf dem Gitter, in dem sich seine Krallen verfangen hatten, bis sie eingebrannt waren ins Eisen und er nur noch unbeweglich leise Schreie ausstoßen konnte. Und die Küche stand in schwarzem Rauch. Es stank sehr.
Noch lange danach fand sie schwarze, stinkende Klümpchen, die mit dem Wind durch die Zimmer trieben, und übler Geruch setzte sich in ihren Haaren fest.
Da beschloß sie, ihr Leben zu ändern.
Viele Stunden saß sie auf der Fensterbank, über die der Rabe hineingeflogen war, und dachte nach. Weil sie es nicht gewöhnt war nachzudenken, kam sie zu keinem Ergebnis, aber sie vergaß zu kochen und das Haus zu besorgen. Ihr Mann, der Advokat Samov war entsetzt, doch er vermochte nichts auszurichten.
Und wahrscheinlich säße sie noch immer auf ihrer Fensterbank, wären nicht große, geflügelte Kakerlaken auf der Jagd nach verkohlten Fleischstückchen eifrig über den Fußboden gelaufen. Darüber erschrak sie fürchterlich, kam zur Besinnung, lief hinaus, um Gift zu kaufen, und sprühte es in jede dunkle Ecke, die sie ausmachen konnte. Gegen Mitternacht kroch das Ungeziefer todesmatt hervor und verendete. Mit einem neuen Besen fegte sie alles zusammen und trug den Abfall hinunter zum öffentlichen Müllcontainer zwei Straßen weiter. Der Advokat Samov freute sich sehr, daß sie wieder zu sich gekommen war und kaufte ihr einen bunten Blumenstrauß.

Aus der Nacht tauchen Geräusche auf und haben Schilder umgehängt. Auf großen Papptafeln steht geschrieben: Regen. Ein Auto bremst. Donner. Ein Hund. Immer noch Regen. Hupen. Schritte auf der Treppe. Nähern sich. Halten vor der Tür.

Noch kenne ich die Fortsetzung der Geschichten, aber es könnte auch anders kommen. Was ich sehe, reicht nicht aus. Ich bin darauf angewiesen, daß die anderen mir erzählen, was weiter geschehen ist. Denn meine Einbildungskraft reicht nicht hin, und sie birgt ein Risiko in sich. Es mag eine größere Anzahl möglicher Geschichten geben, aber sie muß begrenzt sein. Die Möglichkeit ihrer Deutung hängt davon ab, daß ihre Anzahl begrenzt ist. Die Geschichten zu deuten heißt, unter anderem, sie in eine bestimmte Anordnung zu bringen. Und nicht nur das: wäre ihre Anzahl unbegrenzt, ließen sie keinen Zwischenraum. Statt einen Raum zu unterteilen, füllten die Wände selbst ihn aus, und wir müßten ersticken.

Gäbe es dagegen überhaupt keine Geschichten, entstünde kein Raum. Es wäre, als wollte man sein Ohr gegen eine Wand pressen, um zu hören, was nebenan geschieht, aber da wäre keine Wand. Der ganze Kopf fiele ins Leere.

Es wäre so still. Man würde sehr allein sein. Sie leisten einem Gesellschaft, die Geschichten. Wenn man fremd ist, dann kommen sie für das auf, was sonst die eigene Vergangenheit bereitstellen mag.

Ohne Zweifel hat er sich verliebt. So, wie ihr Profil die Luft des Cafés zerteilt hat, so zerteilt sie seine Gedanken. Seine Erinnerung an sie zieht alle Phantasien an sich. Wladimir ist sicher, daß sie ihn verstehen würde, und erzählt ihr alles. Jetzt weiß er, es waren nur ungünstige Umstände, die dazu geführt haben, daß er allein ist. Er fühlt sich von einer großen Last befreit.

Nach zwei Monaten ruft er auf der Durchreise an. Warum hast du nicht noch einmal angerufen, bevor du abgefahren bist? fragt Hannah. Sie hatte sich fest vorgenommen, ihn zu fragen. Sie kennt sich ja. Am liebsten würde sie schweigend über alles hinweggehen. Und schließlich war es doch nur eine Affaire.
Ich kann jetzt nicht sprechen, sagt er, und seine Stimme klingt, als sei sie mit Gewalt, gegen seinen Willen aus einer Wand herausgebrochen.
Warum hast du dann angerufen?
In diesem Moment hat sie zwei Gesichter. Das eine ist höflich und lächelt. Es steht in angemessener Entfernung vor seinem Gesicht.
Das zweite hat beinahe keinen Ausdruck. Es löst sich auf, während es bemüht ist, diesen oder jenen Ausdruck anzunehmen. Da verzieht sich ihr Mund wei-

nerlich. Von keinem ihrer beiden Gesichter geht eine Forderung aus. War das alles? Ist denn gar nichts geblieben? Vielleicht könnte sie Jaron fragen.

Von einem Haus fällt der Balkon ab. Die anderen Häuser beobachten das aufmerksam, und die ganze Straße rührt sich nicht aus Furcht, sie möchten sich ein Beispiel nehmen an diesem Haus.

Man kann sich vorstellen, daß einer in dem Moment vorübergeht, als der Balkon abfällt. Er würde erschlagen werden. Das wäre ein bitterer Tod. Natürlich würde er nicht so viel Staub aufwirbeln wie ein weiterer Terroranschlag. Es wäre so ein Tod. Überflüssig. Ganz und gar überflüssig. Und nehmen wir einmal an, der alte Mann, der erschlagen worden ist, als der Balkon vom dritten Stockwerk des Hauses stürzte, war im Konzentrationslager. Durch ein Wunder hat er überlebt. Er hat die Shoah überlebt, um in Tel Aviv von einem Balkon erschlagen zu werden; und du kannst wiederholen sooft du willst, das sei ein unsinniger Gedanke. Weil er nicht gleich tot ist, sondern noch zehn Minuten lebt, versteht er, was geschehen ist. Und selbst wenn er gleich tot ist, wird seine Frau benachrichtigt. Seine Frau hat auch die Lager überlebt. Man macht ihr Mitteilung: »Es tut uns leid, aber Ihr Mann ist von einem Balkon erschlagen worden. In der Sheinkin-Street.«

Überflüssig ist etwas angesichts eines anderen; und an jedem Ort, in jedem Land, in jeder Stadt wird dies etwas anderes sein. Entsprechend meint ›überflüssig‹ nicht immer dasselbe, und auch die Schärfe der Empfindung, der Empörung wird nicht immer dieselbe sein.

Die Straße ist mißtrauisch: sie hat einen Ruf zu verlieren. Wenn man weiter Richtung Süd-West geht, etwa über den Shuk und Richtung Delphinarium, dann kann man sich schon denken, warum. Und würde alles noch schäbiger, dann risse die Stadt vielleicht Häuser ab. Jetzt kommen sie zum Beispiel, Stadtbeauftragte, und befehlen, alle Balkons dieses Hauses abzuschlagen.

Übrigens ist es mit der Straße wie mit den neuen Kleidern des Kaisers. Jeden Augenblick kann man stehenbleiben und sagen: wie häßlich ist es hier!

Noch einmal: alles kann hier so betrachtet werden, als existierte es nur auf Abruf. Wenn es nicht mehr gefällt, wenn es nicht mehr interessant ist, dann ziehen alle weiter, und was zurückbleibt, mag ruhig verfallen.

Hier wurden einmal Hochzeiten gefeiert. Zwar ist das Meer noch da, aber Geruch von Alkohol und Urin hängt in der Luft, weil sich die heruntergekommenen Touristen, die, die kein Geld mehr haben wegzufahren

und früher oder später in den verschiedenen Konsulaten auftauchen, in den Bars herumtreiben. Der Eingang zum »Museum der Stille« ist verfallen, und seit dem Diebstahl steht es leer. Denn ein Dieb hat aus dem »Museum der Stille« zehn Piranhas und einen sprechenden Papagei gestohlen. Das hat niemanden sonderlich interessiert, nicht wegen des nun leerstehenden Meeresmuseums jedenfalls – erst als man Piranhas im See Genezareth gefunden hat, sie haben die Badenden angegriffen, erzählte einer aufgeregt im Radio, hat man sich ihrer erinnert, denn sicher waren es die gestohlenen Piranhas, wenn überhaupt.
Doch das waren keine Piranhas, weder gestohlene noch andere, und niemand weiß, was aus ihnen und dem sprechenden Papagei geworden ist.

Natürlich kann alles wieder von vorne anfangen, ein bißchen anders. Einer macht ein Restaurant auf oder eine Discothek, und am Abend stauen sich die Autos auf dem Parkplatz, weil die Jugendlichen aus den nördlichen Stadtvierteln kommen. Weiter südlich, in Jaffo, haben gleich drei Bars aufgemacht, dort sind am Wochenende die aus Bath Jam und Holon. Wir aus Tel Aviv machen einen Bogen um sie. Goldene Ketten auf haarigen Brustkörben. Dröhnende Autoradios. Die Mädchen in losen Spitzenhemdchen über hüpfenden Busen und mit dicken Hintern in engen Jeans. Oder es wird eben alles abgerissen und ein weiteres Hochhaus gebaut.

Wie immer: eine Straße ist zu überqueren. Kein Auto hält. Du bist von oben bis unten naßgespritzt. In den Kaufläden wird Brot und Milch verkauft. Die Preise des Gemüses steigen weiter. Die Inflation steigt weiter. Wer ins Café Tamar geht, geht täglich ins Café Tamar. Immer dieselben Gesichter. Immer dieselben Gesichter auf der Straße. Immer dieselben Sätze aus denselben Gesichtern.

Aber wären es nicht immer dieselben Gesichter – wie wüßte man noch, was geschieht? Wen würde man sehen? Wären es nicht die gleichen Geschichten mit ihren Abbrüchen und Variationen, wie könnte man davon wissen?

Es gibt routinierte Wiederholungen und solche, die es nicht sind. Eine nicht-routinierte Wiederholung beachtet bestimmte Regeln der Kontinuität nicht. Ausschnitte von Ereignissen wiederholen sich, aber dazwischen klaffen leere Räume.
In einem Zwischenraum kann alles passieren. Das ist ein Wissen, mit dem man nicht unbedingt zusammenleben muß. Sagen wir, daß man sich in den meisten Fällen darauf verlassen kann: auch morgen wird die Sonne aufgehen. Induktion ist erlaubt.
Muß man es täglich wissen, daß in diesem Augenblick das Oberste sich zuunterst gekehrt haben mag, dann können die Wiederholungen tröstlich sein. Freundliche, spöttische Grüße von Verhältnissen, mit denen es

sich anders verhält. Von schon durchkreuzten Absichten.
Soll man sich Gedanken machen? Wie viele?

Jede Woche einmal nehme ich den Kanister, gehe zur Tankstelle am Shuk und lasse ihn füllen, und wenn ich zu Hause bin, dann fülle ich den kleinen Ölbehälter des Ofens und zünde ihn an. Aber an einem Tag brennt der Brennstrumpf nicht, sondern geht in Flammen auf. Mir ist zumute, als habe sich der gute Mond in böses Unglück verwandelt. Flammen schlagen über den Glaszylinder und greifen nach Dingen. Hantieren hilft nicht. Gleich brennt meine Wohnung. Und gleich das Haus. Die Feuerwehr macht einen Großeinsatz. Das ganze Leben werde ich Schulden zurückzahlen müssen. Verzweifelt laufe ich zum Telefon und rufe die Feuerwehr an. Da ist ein Feuerwehrmann, der ist ein Russe. Er sagt einen Satz auf Hebräisch und wiederholt ihn auf Russisch. Oder umgekehrt. Der Ofen brennt. Du mußt einen Lappen nehmen, sagt der Feuerwehrmann. Und dann rufst du mich noch einmal an. Ich nehme einen Lappen und schlage nach den Flammen. Derselbe Feuerwehrmann antwortet. Du mußt noch einen Lappen nehmen, und du mußt beide Lappen, den ersten und den zweiten, naß machen. Rußige Flocken trudeln durchs Zimmer. Du mußt ein Laken nehmen, ein großes Bettlaken, und es naß machen, sagt er. Sonst kommen wir. Willst du, daß wir kommen? Ich sehe eine gewaltige Anzahl von Feuerwehrmännern mit Schläuchen in mein Zimmer stürmen. Aus den Schläuchen

spritzen sie Wasser und weißen Schaum. Nein, nein, ich komme schon zurecht, sage ich hastig und laufe, um ein Bettlaken zu holen.
Glas zerspringt. Mit einem Zischen sacken die Flammen zusammen. Aber der Glaszylinder des Ofens, er ist in tausend Stücke zerbrochen. Ja, sage ich finster ins Telefon. Sollen wir kommen? fragt der Feuerwehrmann. Nein, sage ich traurig. Ich trage den zersprungenen Ofen auf den Balkon. Betrübt trage ich das Laken und die Lumpen zu den Mülltonnen. Dann sitze ich ganz still. Wladimir ruft an, Hannah ist nicht zu Hause, und ich erzähle ihm von meinem Unglück. Er behauptet, daß ich mich freuen muß. Nach drei Wochen treffe ich den Tankwart. Warum kommst du nicht mehr? fragt er mich. Ich erzähle. Siehst du, sagt er und schenkt mir eine Knoblauchzehe.

Überhaupt vermisse ich Hannah. Jetzt muß ich mir vorstellen, daß ich ihr die Geschichte mit dem Ofen erzähle. Wir sehen uns selten. Ich bin versucht zu sagen: es gibt Hannah I und Hannah II.

Hannah I: an eine Hauswand gelehnt, würde sie auf der Straße über meinen empörten Bericht lachen. Sie würde vorschlagen, dem russischen Feuerwehrmann eine Glasscherbe des zersprungenen Ofens zu schicken und eine Totenrede zu schreiben. Sie würde mit zu mir kommen, um diese schwarze Ruine zu betrachten, die wie eine Skulptur auf meinem Balkon steht, und lachen. Im Auto hätte sie ein elektrisches Heizöfchen.

Hannah ruft nicht an, aber meine Nachbarn haben ein Radio gekauft.
Eigentlich müßte man in solch einem Fall von einem Grammophon sprechen. Warum? Sie hören russische Tanzmusik. Die Frau balanciert große Töpfe mit gekochtem Kraut und Fleisch zur Fensterbank. An den Wänden hängen riesengroß altmodische Werbeposter. Erst putzen sie das Haus. Dann tanzen sie. Eine Tomate, die auf der Fensterbank liegt, kommt ins Zittern, rollt, fällt aus dem dritten Stockwerk hinunter in den Hof und zerplatzt.
Manchmal, wenn wir die Betten ausschütteln, winken wir uns zu.

Was macht David, wenn es regnet? David träumt. Er liegt auf dem Sofa. Ilana ist fort. Ofer ist in der Schule. Der Regen trommelt aufs Dach. Aus dem Treppenhaus hört man Stimmen; Frau Perlmutter schimpft Herrn Perlmutter aus. Der Stock klopft die Treppen hinunter und verschwindet. Dann die Wohnungstür. Er überlegt. Man kann sich vorstellen, daß er aufsteht und die Stadt verläßt, zu Fuß oder auch mit dem Auto, er wird ein Auto anhalten. Wie weit würde er fahren? Er holt sich eine Decke. Aber wohin sollte er fahren? Nach Jerusalem? An die Klagemauer? Eigentlich könnte er wenigstens die Wohnung saubermachen. Wenn sie etwas sagt, dann nur noch aus Müdigkeit: eine Zeitlang hat sie ihn verstanden. Besorgt und mitfühlend hat sie sich und ihren Freunden gesagt, er, David, brauche Zeit. Dann hat sie gewartet. Dann wurde sie ungedul-

dig und ärgerlich. Wenn sie jetzt etwas sagt, ist es aus Müdigkeit, so als spräche sie mit sich selbst. Er hätte es nur fair gefunden, wäre er ein bekannter Bildhauer geworden. Der faire Ausgleich des Schicksals. Hier und da stehen in der Wohnung die weißen, skelettartigen Figuren. Einen ganzen Raum füllen, hat er ihr erklärt, damit man zwischen ihnen herumlaufen muß, als sei man einer von ihnen. Aber er hat keine Verabredung eingehalten, und dabei herausgekommen ist eine Affaire mit einer Galeristin. Ofer kann sie nicht leiden und hat einer Figur den Arm abgebrochen. Eine Mutter, die Tänzerin ist, und ein Vater, der nichts ist und nichts tut. Erkläre du es ihm, braust David auf, als Ilana sagt: du kannst das deinem Kind nicht antun.
Er übt: einmal, bevor du geboren wurdest, war dein Vater Architekt. Er hatte ein großes Büro mit seinem besten Freund. Kannst du es nicht etwas weniger dramatisch machen? fragt Ilana wütend. Du tust, als seist du der einzige, der einen Freund verloren hat!

Was ist ihr beider Unglück? Daß es nur sein Unglück sein soll.
Während Avner überzeugt ist, daß er und Ruth eine gemeinsame Seele haben sollen, hat David seine Seele in sein Unglück gepackt und beide zusammengerollt. Seine Seele und Ilanas Seele sind ganz und gar voneinander getrennt. Dabei ist er überzeugt, daß Ilana, die Tänzerin, anmutig ist. Er verwechselt sie, als sei sie ein Filmstar. Oder er hat sich darin eingerichtet, daß er sie von fern und etwas bitterlich bewundert. Bewundert er

sie nicht, so wie am Morgen, dann ist das eine mißglückte Übung in Ressentiment.

Wenn die Händler gehen, sammelt sie Hühnerkrallen. Niemand hat etwas dagegen, aber sie tut es so heimlich wie möglich, während alle mit Einpacken beschäftigt sind. Eine schwarze Plastiktüte in der Hand. Sollen ruhig denken, sie sei besonders arm. Na, Alte, fragt einer, frißt er das? Sie richtet sich auf. – Wer? – Dein Hund, oder kochst du aus dem Dreck Suppe für deinen Mann? Sie lächelt spöttisch: Ich habe ein Aquarium. Raubfische. Der Händler lacht.
Zu Hause nimmt sie eine dicke Nadel und fädelt die Hühnerkrallen auf Nylonschnüre. Sie trocknen auf dem Dach und schaukeln im Wind. Und warum macht sie das?
Ich weiß es nicht. Wladimir hat sie kennengelernt, sie liest aus Kaffeesatz, hat er gesagt und mich mitgenommen. Da sitzen wir unter den aufgespannten Schnüren, im Abendlicht leuchten sie wie für ein groteskes Fest, und trinken Arrak. Sie kommt aus dem Jemen. Übrigens hat sie tatsächlich ein Aquarium. Liest du wirklich aus dem Kaffee? frage ich sie, als wir gehen. Warum nicht? antwortet sie. Meine Großmutter hat das gemacht, und meine Mutter hat es gemacht, und ich mache es. Sie lächelt listig. Wir hatten immer nur zwei Bücher, und die waren für die Männer. Was würdest du machen, wenn du nichts zu lesen hättest?

Als wir ein paar Straßen weiter sind, flüstere ich Wladimir zu: Das geht wirklich zu weit! Wladimir lacht schallend. Seit wann verträgst du es nicht, eine gute Antwort zu bekommen?
Du solltest einmal deine Freundin Hannah zu ihr schicken.

Manchmal habe ich das Gefühl, daß sich alles in Bewegung setzt, ohne Rücksprache zu halten. Es ist, als hätte man eine Romanfigur erfunden, die außer Kontrolle gerät. Morgens sitzt sie am Schreibtisch und verbessert deinen Text. Du hast wirklich ziemlich viel verpfuscht, wendet sie sich dir zu.

Denn wenn ich an Hannah denke, ist es so, als erinnerte ich mich an jemanden, den ich lange nicht gesehen habe, weil er gestorben ist. Das heißt, daß sich schon nichts mehr ändern wird. Was ich weiß, ist verbindlich. Nichts Neues wird sich über das schieben, was schon da ist.
Leicht, sie aus den Augen zu verlieren, besonders, wenn es dunkel ist oder regnet. Sie macht einen Schritt zur Seite, läuft ein Stückchen vor, bleibt zurück. Lehnt an einer Hauswand, reichlich Zeit, eine Theorie über das Vergiften von Ameisen oder die Unterschiede zwischen einem Kinobesuch am Morgen und am Abend zu entwickeln. Dabei entscheidet sie, was sie kochen wird, und sie überlegt, wer noch zum Abendessen kommt.
Jaron wird sie die ersten zehn Minuten, nachdem sie

nach Hause gekommen ist, ohne Unterlaß anschauen, als müßte er während eines unruhigen Fluges eine exakte geographische Karte zeichnen.
Hannah weiß die nächste Bewegung auswendig. Sie malt sich eine Umgebung auf: ein Haus. Einen Baum. Daneben ein Tor (kein Zaun).
Ihr liegt nicht daran, an genau diesem Ort zu sein. Wenn sie etwas zum Anziehn kauft, ist es meist zu groß oder zu klein. Verwundert betrachtet sie sich im Spiegel und lacht.
Aber es wäre ihr nicht eingefallen, nicht da zu sein.

Am Telefon hat sie mir neulich gesagt: sie fände es manchmal höflich, schöner zu sein, als sie es tatsächlich ist.
Hätte sie es nicht am Telefon gesagt, ich würde sie umarmt haben.
Nein, das stimmt nicht. Ich war wütend. Warum ist sie so verzagt? Ein schrecklicher Satz.
Du bist ja übergeschnappt, etwas in der Art habe ich gesagt. Auf Hebräisch: Du bist aus deiner Meinung herausgetreten. Hannah ist aus ihren Meinungen herausgetreten.

Wenn ich versuche, Hannah I zu verstehen, dann versuche ich also, Hannah zu verstehen wie jemanden, über den mir keine weitere Information zukommen wird. Die Erinnerung bestimmt das Bild. Ich denke: Hannah I ist mit sehr wenigen Überzeugungen ausgekommen. Sie ist sicher, daß es vorzuziehen ist, wenn jemandes Welt sich vernünftig ansieht. Ihr Zusammenleben mit Jaron, den sie seit ihrer Schulzeit kennt, sie liebt ihn, das ist eine Entscheidung, ermöglicht es ihr, sich den Kopf freizuhalten. Sie muß sich nichts aus dem Kopf schlagen.

Ihre Gedanken bleiben gewissermaßen nicht hängen. Das heißt nicht, daß sie nicht sprunghaft oder zerstreut sind. Sondern: die Spielfiguren sind so gesetzt, daß die Dame nicht in Not gerät, während sie sich gerade auf die Springer konzentriert.
Es ist nicht alles unter Kontrolle – aber sie findet, daß diese oder jene Überlegung genausogut eine Weile warten kann. Und dann ist es möglich, Entscheidungen zu treffen. Bis jetzt hat sie es immer so gehalten. Sie erwartet nicht, sich mit ihren Entscheidungen in völliger Übereinstimmung zu befinden.

Ich sehe, wie einer aufsteht, sich noch einmal kurz umdreht, winkt und fortgeht: gerade hat man uns das Essen gebracht. Stumm vor Staunen sitze ich vor den beiden Tellern. Vom Mauervorsprung über mir springt eine Katze und verfehlt nur knapp den Tisch. Sie bricht in der Mitte auseinander, und beide Hälften entfernen sich in verschiedene Richtungen. Ich brauche den Kopf nicht zu heben, um mich umzuschauen: keiner bleibt stehen. Keiner sieht zu mir herüber.

Nachts gehe ich spazieren. An die Mauer gedrängt liegt ein Alter, er schläft, sein riesiger Bauch leuchtet weiß zwischen der Hose und dem zerrissenen Hemd, er schnarcht. Aus einer anderen Straße kommt ein Orthodoxer, geht hastig an ihm vorbei und sieht sich mißtrauisch um. Er hält seinen Hut fest, als wäre jeden Moment eine starke Windböe zu erwarten. Seine Schläfenlocken wehen ihm vors Gesicht. Blind eilt er über die Straße. Man sieht ihn ja kaum in seinem Anzug.

Und das ist gut so, denn bliebe er stehen, würde ich ihn erkennen, es wäre ein früherer Freund von mir. Er würde nicht mit mir sprechen wollen. Riefe ich ihn bei seinem Namen, würde er sagen: ich heiße jetzt Aaron, und weitergehen.

Wie würde er reagiert haben, hätte ich ihm sagen können, bevor er den Mund aufmacht: Ich weiß, du heißt jetzt Aaron.
Er würde spöttisch erwidern: Allerdings, als wolle er sagen: Und was, wenn du es weißt? – und weitergehen.
Er würde lachen, und wir würden uns küssen. Er käme mit zu mir, und während wir uns liebten, würde er einige Male die Schläfenlocken hinter die Ohren streichen, damit sie mir nicht in die Augen fallen.

Es sollte so sein: Wer jetzt am Meer ist, hat keine Sorgen.
Stimmt das?
Nein.

Kann man Sorgen zählen?
Ja, denn man kann sagen: das ist nur die eine Sorge, die andere, schwerwiegendere ist...
Aber wie weiß man das? Nicht nötig eigens zu sagen, daß man Sorgen nicht tatsächlich wiegen kann; es ist nur eine Redensart.

Aber hier ist das Meer. Möwen sitzen auf den steinernen Wellenbrechern vor der Stadt, später sollen hier einmal Inseln gebaut werden. Möwen sitzen auf dem Wasser und schaukeln. Lange Streifen von vielen Vögeln ziehen über den Himmel. Wer am Strand sitzt, wartet fröstelnd auf die Sonne, falls sich eine Wolke vor sie geschoben hat. Ein dicker Mann in einer roten Badehose fährt Fahrrad in der Luft. Ein anderer nähert sich unbemerkt und fotografiert ihn. Im nächsten Augenblick wird er leicht über den Strandstühlen schweben, weiß mit gelben Bezügen. Der Fotograf steht erwartungsvoll. Aber nichts verändert sich. Alles sieht so aus, als würde sich nichts verändern. Selbst die verschiedenen Hunde, die vorbeilaufen, sind immer die gleichen.

Würde ich Hannah I sagen, daß ich mir den Kopf zerbreche, um herauszufinden, wie sie sich verändert hat, würde sie sagen: Elohim adirim! und lachen. Könntest du nicht statt dessen den Herd putzen? Und sie würde einen kleinen ekligen Gegenstand von der Herdplatte aufsammeln und mir unter die Nase halten.
Hannah II würde auch lachen, aber man sähe ihr an, wie sie in ihrer Betrübnis versinkt und nachdenkt.

Auch am Shabbath ist in der Jehuda-haLevy-Street ein Kiosk geöffnet. Da versammeln sich die fremden Arbeiter, die vorwiegend in diesem Teil der Stadt wohnen: Rumänen. Schwarzafrikaner. Sie übersehen einander. Der Halbwüchsige im Kiosk sagt seinem kleinen Bruder: Du mußt gut die Augen offenhalten, hörst du. Alle stehlen. Und vor allem am Shabbath. Da mußt du besonders gut aufpassen. Besonders die Neger, wenn sie lachen. Dann haben sie die schnellsten Hände.
Wie sie leben? Die entsprechenden Botschaften haben ihren Protest beim Ministerium eingereicht.

Die Stadt macht es einem schwer, sie zu verlassen. Nimmt man den Weg über die alte Zentrale Bushaltestelle, dann ist es fast ganz unmöglich. Aber sie ist doch gar nicht mehr in Betrieb? Das ändert nichts. Kleider ballen sich dort und Gemüse und Musik, und alles wird verkauft, große Ballen werden von einem Ort zum nächsten transportiert, ganze Hauseinrichtungen und Aussteuern, ein Alte-Sachen-Händler kommt und läßt

das Pferd stehen, auf dem Wagen steht ein Kühlschrank, an dem ein kleiner und stiller Esel seiner ganzen Länge nach festgezurrt ist, etwas weiter zerlegt einer seiner Motorrad und sammelt Schrauben von der Straße. Und Musik.
Zwischen den Fahrern der Kleinbusse ins ganze Land ist schwer zu wählen. Du mußt nach Jerusalem. Ist der dort drüben betrunken oder zurückgeblieben? Und der mit den zitternden Händen? Fahr mit dem da! brüllt einer zu mir herüber. Wie groß bist du? fragt mich ein anderer. Man fühlt sich wie auf dem Pferdemarkt, umgeben von betrügerischen Händlern, und man möchte diesem Gaul und noch einem ins Maul schauen, um Alter und Zähne zu prüfen: haben sie nicht gelogen? Aber du mußt nach Jerusalem. Ergeben steigst du ein. Es riecht nach Schweiß und Zigaretten. Man sollte das Beste hoffen. Erst noch ein Stau. Es ist eng. Und du bist müde, fast mit Sicherheit ist anzunehmen, daß du müde bist. Versuch du nur zu schlafen.

Wieder verschwinden die Straßen. Ist man ohne Regenschirm aus dem Haus gegangen, überkommt einen beglückende Gleichgültigkeit. Längst ist das Haar naß. Längst sind die Schuhe durchnäßt und die Jacke und die Augen.
Man muß dann in einen Laden gehen und einen neuen Regenschirm verlangen. Der Regenschirm ist in Zellophan verpackt. Tritt man hinaus, braucht man ihn nicht auszupacken. Ruhig und tropfnaß kann man nach Hause spazieren, den eingepackten Regenschirm in der Hand.

Völlige Sorglosigkeit ist billig zu haben. Vielleicht wird einer krank, natürlich. Alle haben Schnupfen. Einer bekommt Lungenentzündung, und aus Versehen könnte er sterben. Aber das ist ganz und gar unwahrscheinlich. Und überall da, wo es warm und trocken ist, wird man glücklich angekommen sein.

Oder es ist schon dunkel, der Autobus kommt nicht, kein Taxi hält. Dann sollte man in eine billige Kneipe in der Ben-Jehuda-Street gehen.
Die Bedienung mit ungepflegtem Haar und längst unförmigem Gesicht bringt eine russische Speisekarte. Alle Speisekarten sind auf Russisch geschrieben, sagt sie mürrisch. Wir bestellen Wein und Suppe. Gegenüber sitzt ein Mann und verlangt einen weiteren Schnaps. Vor ihm stehen drei Bierflaschen. Der Wein ist schlecht. Die Füße trocknen langsam. Langsam werden die Hände warm. Er schaut zu uns: Sie ist nicht wirklich meine Frau. Er versucht aufzustehen. Aber wir lieben uns seit zehn Jahren. Sei doch ruhig, ruft die Frau. Genauso ist es, sagt der Mann würdig, als sie uns Brot bringt. Der Regen läßt nach. Sie errötet. Ich lade euch nicht ein, sagt der Mann, aber heute sind es zehn Jahre.

Bestimmt gibt es einen Satz, der ganz zusammenhangslos dasteht, und deswegen macht er keinen Sinn. Ein ganzer Satz steht bewegungslos, auf der einen Seite das Meer, auf der anderen die Wüste. Das Meer liegt still. In der Wüste geht eine Ziege. Vorsichtig setzt sie die Füße.

All das, und alles dazwischen, beschreibt der Satz mühelos und anschaulich. Selbstverständlich ist er wahr.
Wehe, wenn das Meer sich kräuselt. Wehe, wenn die Ziege stolpert.

Oder: Hannah hat sich nach so und so vielen Jahren von ihrem Freund getrennt.
Wladimir ist geschieden.
Idith mußte ihren Sohn im Ausland zurücklassen, als er acht Jahre alt war.
Die Sätze bezeichnen den Ort, an dem alles vertuscht ist.
Die Ziege hat den Hals gebrochen.
Es war ein großes Fest. Bis in den frühen Morgen saßen sie beieinander, und die Teller wurden nicht leer.

Sie sitzen auf zwei weißen Plastikstühlen, und ihrer dunkelgegerbten Haut sieht man an, daß sie das auch im Sommer tun. Der eine hat einen Hut, und der andere hat eine Mütze auf. Sagen wir, vor dreißig Jahren bin ich eingewandert? Dann fülle ich seit fünfundzwanzig Jahren jede Woche das Lotto aus. Sagen wir, ich bin am 16. 7. 1965 gekommen? Dann ist das die Zahl, die ich seit fünfundzwanzig Jahren eintrage. Was habe ich gewonnen? Nichts. Aber ein Bekannter, der hat einundzwanzig Jahre dieselbe Nummer gespielt. Und dann hat er sie einmal nicht gespielt. Auch keine andere Nummer. Er hat gar nicht gespielt. Aber was? Genau in dieser Woche hat seine Zahl gewonnen: acht Millionen

Schekel. Eine Woche in einundzwanzig Jahren. Da hat er eine Pistole genommen und sich in den Mund geschossen.
War ja verrückt, der. Er steht auf und nimmt seinen Hut ab. Schon von weitem habe ich dich gesehen, und ich habe mich gefreut, dich zu sehen. Auch ich habe mich gefreut, sagt der mit der Wollmütze. Und er war wirklich meschugge, dein Bekannter. Ich spiele seit fünfzehn Jahren. Was wir jetzt alles mit dem Geld machen könnten. So ist das.

Aber der mit dem Hut dreht sich noch einmal um und schwenkt den Stuhl in die Luft, seitdem schimpft meine Frau nicht mehr, wenn ich Lotto spiele.

Und die Tage vergehen, ohne sich mit irgend etwas aufzuhalten.
Sie atmen flach. Wenn sie könnten, machten sie sich unsichtbar.
Sie sind wie arme Großtanten, die im stillen wegsterben und kein Erbe hinterlassen.

Allerdings hinterlassen sie ein Foto, wieder einmal ein Foto, und einige Briefe.
Sie sind schwer zu entziffern (Sütterlin), man legt sie schon ungelesen beiseite.
Aber war nicht irgend etwas merkwürdig?
Es war ihre eigene Unterschrift. Rosa.

Hat sie diese Briefe nie abgeschickt? Sie zurückgefordert?

Sie sind in den dreißiger Jahren aus Berlin gekommen. Rechtzeitig.
Dann war es sehr schwierig, zwei Kinder hatten sie, und zum Schluß, nach dem Biedermeiersekretär und der Kommode, hat er auch die Bücher verkauft.

Auf einen Brief hat Rosa mit Bleistift geschrieben: Aber was würde er schon antworten?
Und wenn er überhaupt nicht antwortete?

Später wollte Onkel Levy, so hieß er, weil beide Onkel Chaim hießen, sie gerne zurückkaufen, die Bücher, meine ich.
Er hatte so viele Affairen. Seine Frau, Rosa, wußte das. Aber sie hat geschwiegen und sich schweigend gekränkt. Denn was, wenn er es ihr sagte? Müßte sie ihn dann nicht verlassen?
Daß er sie, und es waren in der Hauptsache ihre Bücher, überall gesucht hat, das hat er ihr nie gesagt.

Ist es nicht unvernünftig, Angst vor Menschen zu haben, die einem gut wollen?
Nur, wie soll man es genau wissen? Und selbst wenn man es weiß, ist es wirklich das, was zählt?

Idith bekommt es mit der Angst.
Sie haben sich vor zehn Jahren in England kennengelernt. Meine Freundin, hat sie gesagt. Ich habe mit meiner Freundin telefoniert.
Sie hat das Zimmer streichen lassen. Auf dem Tisch steht eine Schüssel mit Früchten.
Was ist denn mit den Vorhängen passiert? fragt sie lachend.
Idith wird rot. Sie hat es gar nicht gesehen.
Am Donnerstag hat sie sich frei genommen, Sekretärin ist sie, für den Vertrieb medizinischer Ausrüstung, und nachmittags arbeitet sie an einem Forschungsprojekt mit, und dann das Wochenende. Sie haben sich so viel zu erzählen, hat sie angenommen.
Warum hast du bloß dein Studium nicht fertiggebracht? fragt Esther. Sie findet schnell Anschluß an der Universität. Und Idith schreibt weiter Briefe betreffs medizinischer Ausrüstung.
Esther hat wenig Zeit. Am Abend kocht Idith. Esther kommt, oder sie kommt nicht. Professor Wolfsohn hat mich eingeladen, sagt sie.
Idith lädt ein. Nimm es mir nicht übel, aber sie langweilen mich einfach, sagt Esther.

Aber es gibt Fragen, die nur einen Tag lang, eine Stunde lang zu fragen sind. Danach weiß man: Es war die richtige Frage.
Richtige Fragen haben eine kurze Halbwertszeit.

Später sind sie bloß noch spöttisch. Langsam wie Quallen schwimmen sie, und es ist nur eine Sache der Zeit, bis man an ihren Tentakeln verbrennt.

Ich kann mir nie merken, was du eigentlich machst, sagt Esther lachend.

Immerhin ist das so: wenn sie spät nach Hause kommt, dann ist da Licht, und Esther macht ihr eine Tasse Tee. Idith merkt, daß es anstrengend ist, für jede Bewegung in einer Wohnung verantwortlich zu sein. Vielleicht ist es zu bedauern, daß sie Tiere nicht leiden mag, denkt sie.
Esther fährt ab und denkt: so ist das eben hier, man reibt sich auf zwischen alltäglichen und katastrophalen Ereignissen, die auch fast alltäglich sind, und dann gibt es viele, aus denen nichts wird. Zum Beispiel Idith.

Wladimir hat sehr stämmige Beine. Wenn er sich hinunterbeugt, um die Schuhe zu schnüren, dann sind sie in seinen Augen unförmig. Sehr weiß. Sehr behaart. Während er zur Tür hinaus und die Treppen hinuntergeht, muß er diesen Anblick vergessen.
Er geht zu Chaim dem Bäcker und kauft eine Tüte Rogalach. Freundlich sagt er Guten Tag. Da ist auch eine Frau mit einem Kind. Seine Freundlichkeit wird nicht wahrgenommen, denn er sieht aus, als sei er mürrisch. Sein Körper sieht so aus. Mürrisch. Er hebt

den Kopf, um zu bezahlen, und bemerkt, daß die Frau ihn anlächelt, bevor sie hinausgeht. Fünf Schekel, sagt Chaim. Hast du schon die Borrecas mit Spinat probiert? Er reicht ihm einen. Kauend geht Wladimir hinaus. Er grinst. Plötzlich denkt er, das Bild wird sehr gut werden.

Übrigens regnet es gerade wieder einmal, und Wladimir und die Tüte mit Rogalach werden naß. Die Wände sind ganz und gar feucht, Matratzen sind es, die Polster der Möbel, und Sarah weist anklagend auf die Kasse, die unter einer Plastikhülle und vielen Zeitungen verborgen ist. Der Winter wird noch eine Weile dauern. Aber alle sind ihn leid. Sobald die Sonne scheint, sitzen sie in den Straßencafés, um sich zu wärmen. Und ich lasse ihn jetzt, den Winter. Das kann ich ja tun.
Die Tage waren lange genug kurz. Der Ofen ist verbrannt. Es war mein erster Winter in Tel Aviv. Jetzt ist es genug.

Es ist sehr früh am Morgen. Ein Rabe krächzt zum zweiten Mal. Wäre jetzt einer bei dir, ginge er hinunter, um frisches Brot zu kaufen und die Zeitung. Die Straße federte, damit er schneller zurückkäme.
Da du allein bist, schaltest du das Radio ein. Sie sagen: Einer ist von einer Brücke gefallen. Auf einem Schiff sind einer und ein zweiter von der Brücke gefallen und auf Deck zerschlagen. Der Nachrichtensprecher fügt hinzu: Es war ein Sturz aus großer Höhe. Du siehst sie,

es ist noch früh am Morgen, sie strecken die Arme zum Himmel und schreien. Wenn du die Augen schließt, fallen sie immer noch. Die Dämmerung hält sich dagegen am Himmel fest. Es scheint, daß die Autos zunächst von selbst rollen, Motorengeräusche folgen hintendrein. Alle, die in diesem Moment aufwachen, rekeln sich und spannen die Arme aus wie Flügel. Da diese Nachricht zur nächsten Stunde nicht wiederholt wird, werden sie nie wissen, warum. Aber wenn man es sich vorstellt, dann kann man glauben, daß Menschen womöglich doch ein Schicksal teilen.

Amnon zum Beispiel: er könnte ein alter Mann sein, und aus Angst und Höflichkeit würde er es verbergen. Manchmal säße er allein in einem Park auf einer Bank und sähe zu, wie Kinder spielen. Er stützte sich auf seinen Stock. Entdeckte man ihn so, wäre er gleichzeitig verlegen und erleichtert.
Diese Möglichkeit, spazierenzugehen wie ein älterer Herr, bedeutet nicht, daß er sich alt fühlt. Aber manchmal bestimmt sie die Weise, wie er sich umsieht. Manchmal hat sie Einfluß auf das, was er über die Stadt denkt.

Auch nachts bleibt es warm. Ich öffne das Fenster.
Draußen lärmt eine Betonmischmaschine. Die ganze Nacht hindurch.
Mit der größer werdenden Anzahl von Sätzen bequemt sich die Zeit, freundlich zu sein.

Die Betonmischmaschine pausiert. Und lange Wörter haben Vorzüge.
Sie fangen an, um sich selbst zu kreiseln, bis es scheint, daß sie aus sich selbst verständlich werden.
Sogar dann, wenn das, was man sieht, härter wird; scharfe, unwillige Umrandungen. Die Rede könnte leichter werden. Während alles immer unklarer wird, übernimmt sie etwas von dem, was unverständlich bleibt: diese Geschichte, wenn es eine ist, läßt sich keinem Ende zuführen. Aber da sind die langen Wörter, aus sich selbst verständlich. Im Hebräischen kennt man lange Wörter nicht.
Was aus sich selbst verständlich ist, entläßt einen aus der Verantwortung, ohne sie selbst zu übernehmen. Es kennt keine Verantwortung. Es ähnelt Walsers Igel: zusammengerollt in sich, glücklich schlafend.
Ein freundliches Bild.

So haben sie morgens, gegen halb sechs Uhr, eine Zweigstelle der Hölle aufgemacht.
Es ist eine unbedeutende Zweigstelle, aber man kann deutlich erkennen, wie Teufel sich mit Zimbeln, mit Pauken und anderem Gerät versammeln.
Später gehen sie, alle auf einmal, deswegen erinnert es an einen Schulausflug. Wer ihr Lärmen hört, glaubt ohne Zweifel, große, teuflische Scheinwerfer zu sehen.

Hohle Tiere kreuzen den Weg, sagt die Alte von den Hühnerfüßen. Hohle Tiere, als sei ihnen ihr Inneres

abhanden gekommen. Die Schale eines Krebses. Ein Schneckenhaus. Das magere Fell eines Hundes. Im Bauch einer Katze sieht man die Gräten des Fischs, den sie gefressen hat. Wie unvorsichtig, möchte man sagen. Du hättest ersticken können.
Gegenüber sitzt die alte Marokkanerin am Fenster, dick und versunken, und kämmt ihr Haar. Wohl eine halbe Stunde lang kämmt sie es, wohl eine Stunde. Sie wird dort sitzen, bis ihr die Zähne ausfallen, die Haut von den Knochen fällt und ihre Stunde kommt. Im Hof – es stand dort einmal ein Haus zwischen zwei anderen Häusern – blühen gelbe Blumen. Ein Baum ist kahl. Wenn die Sonne jetzt untergeht, weiß man, daß die Tage länger werden. Eine Katze sieht sich vorsichtig um und springt auf die Mülltonne.
Danach fügt man seinen Beschäftigungen eine weitere hinzu. Leert den Aschenbecher. Verschränkt die Arme überm Kopf. Läßt Bücher in Regalen verstauben. Verweigert die Anerkennung der einfachsten Tatsachen. Wieder sind in einen unschuldigen Tag mehrere andere hineingeglitten wie bunte Schlittschuhläufer.
Forderungen sind wie von klugen Kindern: Ein Jahr noch laß uns nicht allein. Noch diese Woche lies uns die Geschichten vor. Noch zwei Leben lang beschütze uns vor den Löwen und wilden Tieren, die im Schlaf lauern.

In einem der langen Zeiträume, in denen ich Hannah nicht sehe, treibt sie ihre Entmutigung auf die Spitze.
Sie verdunkelt das Zimmer und sitzt da, Füße und Knie nebeneinander, die Hände auf den Knien stellt sie sich

vor: Sie reist aufs Land. In Europa. Ihre Beine bedeckt ein schweres Reiseplaid. Ratsam wäre es, daß eine Droschke sie vom Bahnhof abholt. In ihrer großen Tasche trägt sie vor allem Geschenke, die sperrig und wenig brauchbar sind – für Nichten und Neffen. Für die Dorfkinder.
Sie wird vor dem Kamin sitzen, da kein Platz mehr war für eine Wolljacke. Wenn sie aufsteht und ans Fenster geht, sieht sie, daß der Landpostbote kommt. Er hupt von weitem, und sein Auto hüpft auf den unbefestigten Straßen. In den anderen Fenstern sieht man Gesichter. Jedes sieht den Landpostboten und die anderen Gesichter. Einer lacht, als er ein großes Päckchen überreicht bekommt. Ein anderer bricht in Tränen aus. Es ist ein Brief, sagen die Gesichter. Eine Todesanzeige?

Sie sitzt auf dem Sofa, hängt Gedanken nach und merkt, wie ihr Körper unförmig wird.
Wird sie die Hände zum Himmel recken und spüren, sie verwandeln sich in stumme Äste?
Keiner hört ihr zu.
Das Ende der Tage.

Jetzt erkennt sie keiner mehr. Aus lauter Leid hat sie sich verwandelt.
Oder die Wohnung. Braune Polstermöbel stehen in einem dunklen Zimmer, stehen so dicht, daß nur ein schmaler Durchgang zu den schweren Schränken, den Glasvitrinen, der Standuhr bleibt. Die Fensterläden

sind geschlossen. Eine kümmerliche Zimmerpflanze überdauert. In der Ecke neben dem Büffet steht ein Baum, der vierzig Zentimeter hoch war, als man ihn gekauft hat. Er ist vierzig Zentimeter hoch, und da die Fenster geschlossen bleiben, liegt kein Staub auf den Blättern. Hannah schaut ihn lange an. Dann kauft sie ein geblümtes Kleid. Vorzüglich paßt das Muster zu den Polstern von Sofa und Sesseln. Hannah befindet sich in Übereinstimmung mit ihrer Umgebung.
Wie siehst du denn aus! ruft Sarah.

Eine Geschichte muß einen Anfang und ein Ende haben. Aber wie weit muß man zurück zum Anfang? Ihre Großeltern sind aus Europa geflohen. Die Möbel haben sie eigens anfertigen lassen, wie unsere Möbel in Budapest, haben sie dem Schreiner erklärt und ihm ein Foto gezeigt. Es handelt sich also um Erbstücke. Sie, die Großeltern und Hannah, haben kaum miteinander gesprochen – in welcher Sprache?
Der Zeitraum ist zwar nicht groß, doch ist er nicht vorgesehen. Was liegt zwischen der Zeit Abrahams und der, die schon vorbei, ungeduldig auf gepackten Koffern sitzt?

Eine Weile sieht keiner Hannah. Der Übergang von einer zur nächsten Geschichte scheint zu fehlen, von vornherein ausschnitthaft, so wie Familiengeschichten hier häufig abreißen, mit ihren eigenen Zacken sich selbst zerstückeln.

Es ist, als müßte ich rückblickend sagen: Hannah hätte mich vom Flughafen abholen sollen, aber sie konnte mich zu diesem Zeitpunkt nicht vom Flughafen abholen.
Da es Hannah zu diesem Zeitpunkt anscheinend nicht gibt.
Hannah ist entweder Hannah I oder Hannah II.
Hannah II konnte ich nicht erwarten, und sie mich nicht, da ich von ihrer Existenz nicht wußte.
Ich hätte allenfalls sagen können: Du kommst mir gerade recht, um ins Auto einzusteigen. Auch das Auto wäre nicht dasselbe, nicht das Auto von Hannah I, das das gemeinsame Auto von Hannah und Jaron war, sondern das neue und alleinige Auto von Hannah II.

Es gibt wohl Gründe, diese Beschreibung für unglaubwürdig zu halten.
Aber immerhin: ein anderes Auto. Ein anderer Familienstand. Anderes Gewicht. Eine andere Wohnung.

In der Wohnung herrscht Zwielicht.

Hannah paßt in ihre Wohnung. Das Licht in der Wohnung paßt nicht hierher. Es ist Zeit, daß einer zu Besuch kommt. Wie sieht es denn hier aus? sagt der Besuch und reißt die Fenster auf.

Ich will nicht behaupten, daß die Welt hier anders ist als anderswo. Ein Sofa ist ein Sofa. Eine Standuhr ist eine Standuhr. All das allerdings wäre schon in Jerusalem – knapp sechzig Kilometer entfernt – besser am Platz. Dort ist es noch kühl. In Tel Aviv ist jetzt schon Sommer. Die Stadt heißt Frühlingshügel, doch Frühling, Zwischenzeit, gibt es hier nicht.
Entweder ist Licht. Oder Schatten.
Weil das Licht so stark ist, sind Schatten und Dunkelheit dasselbe. Wie abgeschnitten sieht alles aus. Zwar gibt es Winter, gibt es Wolken; aber das Licht des Sommers legt fest, wie die Dinge gesehen werden.

Ich sitze im Café, und mein Blick fällt auf die Hände der alten Frau neben mir.
Sie wird den Ring nicht mehr abnehmen können. Der Ring bereitet sich schon auf ihren Tod vor. Die Hand weiß es.
Überhaupt weiß der Körper nicht alles gleichzeitig. Manchmal wissen es zuerst die Hände. Oder das Gesicht. Oder das Geschlecht.

Einmal sieht sie Jaron am Strand. Er sieht sie nicht. Er sieht eine junge Frau, geht auf sie zu und lächelt. Daß er sie nicht kennt, ist augenfällig. Vermutlich lädt er sie ein, etwas mit ihm zu trinken. Hannah hält den Atem an. Später bemerkt sie, daß sie ihm die Daumen drückt, stell dir vor, bis der Daumen ganz weiß ist. Die Frau lacht amüsiert auf. Dann schüttelt sie ablehnend den

Kopf. Sie schämt sich entsetzlich. Sie schämt sich, als hätte er nachts, im Dunkeln, am Strand onaniert. Sie denkt, daß solche Niederlagen immer häufiger sein werden. Am liebsten liefe sie zu ihm, um ihn zu umarmen. Sie würde ihn in einem weiten Mantel verstecken. Später vielleicht auch ersticken. Und er würde schnaufen und mit dem Hals zucken.

Es fängt mit den Fischen an oder mit der Maus. Oder man sagt, wie alt sie ist. Dabei ist fraglich, ob es noch ihr Alter ist. Zuweilen macht es den Eindruck, als habe ihr Alter sie überrundet. All das, was ihr Leben ausmacht, läßt sich einem Zeitlauf, und sei der so lang, wie er will, nicht mehr zuordnen.
Also sterben die Fische. Wer gerade da ist, fischt sie aus dem Aquarium und trägt sie zu den Mülltonnen vorm Haus. Obwohl das allmähliche Fischsterben erst einen Monat andauert, hat man das Gefühl, sie habe Trauer getragen und das Schwarz der Kleider sei schon verblaßt. Die Farbe, die zurückbleibt, ist nicht mehr schwarz, nicht grau, sondern abwesend, ganz unnütz.
Die Maus dagegen hat Nizza, die Haushälterin, gefunden.
Sie hatte sich im Ofen versteckt, und bevor sie verbrannt ist, ist sie vergast worden.
Der Ofen ist abtransportiert. Sie wollte diesen Ofen keinesfalls länger bei sich haben.

Die Alten fehlen in gewisser Weise einfach. Hier fehlen die Alten, die ausgleichen. Während sie in Rechaviah, Jerusalem, eine Weltmacht sind, sehen sie hier immer aus, als seien sie versehentlich im Nachthemd auf die Straße gegangen. Sie erzählen, daß sie die Butter unters Bett geschoben haben, weil es dort am kühlsten ist. Sie haben kleine, unmögliche Hündchen, die sie an abgewetzten Hundeleinen hinter sich herschleppen.
Oder sie sind Kollaborateure, die Alten, nicht nur die gierig murmelnden Männer, sondern auch die Frauen. Die Köpfe schleudern sie auf zittrigen Knochen in den Nacken, und über weiten Bäuchen, Busen und Blusen atmen sie stolz. Ihre kleinen, klapprigen Schritte dirigieren sie mit weißen Sonnenschirmen und meinen, den Verkehr zu regeln.

Und dann will Ruth – hat sie das schon gesagt? – ein neues Sofa. Ich bitte dich, hat Avner gesagt, wozu brauchen wir denn ein Telefon zum Herumtragen? Weil wir kaum zu erreichen sind, sagt Ruth, ist dir nicht aufgefallen, daß keiner Geduld hat, dreimal anzurufen, bis er einen von uns erwischt? Dafür haben wir einen Anrufbeantworter, sagt Avner.
Also ein neues Sofa.
Jetzt sollte er an die Wörter ›Anschaffungen‹ und ›Lebenshaltungskosten‹ denken, auch diese Wörter haben ihre Mindestlänge nicht erreicht. Und Dani braucht einen Computer. Sie sitzen im Lagerraum. Ich habe es so satt, sagt Dani, daß ich in diesem verdammten Land mit meiner Arbeit nicht einmal genug verdiene, um die

Ausrüstung zu kaufen, die ich für meine Arbeit brauche. Er geht gereizt auf und ab, und Avner sorgt sich um die Keramiken.
Ruth mag Dani nicht sonderlich. Dani mag Ruth nicht sonderlich. Wenn ihr dabei wenigstens reich würdet, sagt Dani. Es sei denn, Ruth schafft es immer noch, sich einzureden, sie mache Kunst.

All das Pathos, Pathos der Erinnerung, Pathos der Nation: Die Wüste zum Blühen bringen.
Lautete das Versprechen nicht auf Milch und Honig?
Eilig gehen Männer, Frauen mit ihren Telefonen über die Straße. Fahren mit dem Handy zum Reservedienst. Brüllen Zahlen und Aufträge und Projekte. Im Caféhaus. Im Autobus. In den Köpfen sausen Pläne und günstige Gelegenheiten, viel schneller, als die Erinnerungen, Tote, Kriege, wie langweilig das ist.

Der dauernden Aufregung ist Trägheit entgegenzusetzen. Lange, sinnlos verschlungene Gespräche der Grüppchen hier und dort, im Café, in diesem oder jenem Laden, im kleinen, staubigen Park vor der Synagoge. Die Zeit, die sich so vertreibt, ist eine ohne Katastrophen.
Diese Zeit kann man sich so denken: du kommst zurück, und mühelos erkennst du alles wieder.
Plötzlich schätzt du dich glücklich.
Du kommst zurück, und alle sitzen, wo sie zuvor gesessen haben.

Habt ihr Nachrichten gehört? fragst du, und alle winken ab. Nichts Besonderes.

Es sind dies winzige Gesellschaften, offen sind sie fast allen, und wenn sie Geheimgesellschaften sind, dann lediglich, weil die gesamte Erzählung nur kennt, wer lange genug und oft genug anwesend war. Wer immer wieder dieselben Geschichten gehört hat, ihre winzigen Variationen, ihr Ausfransen an den Rändern, ihren kaum merklichen Fortgang.

Denn, wie gesagt, es kann auch so sein.
Sie war in Jaffo, nichts weiter. Und da es nach einigen Regentagen sonnig ist, geht sie zu Fuß, das Meer zu ihrer Linken. Auf dem Weg kauft sie Obst. Die Tüten sind schwer, und sie hebt den Kopf nicht, als sie in ihre Straße einbiegt.
Aufgeregt reden sie durcheinander. Dann sieht sie einen zersplitterten Blumentopf und die roten Geranien erdig am Boden zerschlagen.
Es ist ihr Haus, von dem der Balkon abgefallen ist; und das ganz abgesehen davon, ob nun einer darunter stand oder nicht. Sie hat es auf Lebenszeit gemietet: kein Geld für eine eigene Wohnung. Kein Geld, diese Wohnung zu renovieren.
Die Balkontür wird von Beamten der Baubehörde vernagelt. Über das Zimmer senkt sich Dunkelheit. Sie versteht sich gut mit dem Schimmel an den Wänden.

Meistens ist es nur der Anfang.
Auf einen geheimen Befehl hin schlagen die Dinge Lärm und machen unberechenbare Schwierigkeiten, alle. Sie sind auf den Geschmack gekommen.
Wasserrohre platzen.
Putz fällt von den Wänden.
Glühbirnen explodieren.
Ein Stück des Treppengeländers fällt aus dem zweiten Stock, Platten im Gehsteig versinken und hinterlassen Löcher, in denen die Räder der Kinderwagen zerbrechen.
Dieser und jener verliert seine Stelle.

Um dort zu sitzen, in einer dieser kleinen Gesellschaften braucht man kein Geld. Sagen wir im Buchladen. Zigaretten vermutlich. Kaffee hin und wieder. Man darf langweilig sein, aber nicht zu langweilig, und nicht immer.
Dror gehört zu dieser Gesellschaft und vergeudet soviel Zeit wie möglich.
Wie sitzt man da, Stunden?
Alle rauchen. Das Reden ist wie staubige Zeit. Manchmal sagt einer: das muß anders werden. Dann verstummen alle für einen Moment.
Wenn man ein Mann ist, spricht man über Frauen. Wenn man eine Frau ist, flirtet man. So ist alles geordnet.

Hannah wird nicht Teil so einer Gesellschaft.
Es würde nicht zu ihr passen.
Aber es wird Sommer, und ihr Unglück läßt nach. Wie läßt das Unglück nach? Sie ist ungeduldig. Wie läßt das Unglück nach?
Das ist ein Rätsel. Vielleicht ist es sogar ein Geheimnis.
Es ist unberechenbar, und man weiß nicht viel darüber.
Und ist es Unglück – wer fragt danach? Langsam wacht sie auf.

Jaron dagegen ist Teil solch einer Gesellschaft. Vermutlich wollte er nur ein Buch kaufen.
Und über Frauen? Natürlich. Natürlich redet er über Frauen.
Mit einem Mal hat er festgestellt: die Welt besteht aus Frauen und Männern. Also ist er ein Mann. Man möchte fragen: was hat er denn gedacht?
Gar nichts hat er gedacht. Er, Jaron, war genau einer.
Jetzt ist er verwirrt. Wie viele Frauen es gibt! Den ganzen Tag gehen sie, zahllose Frauen und die jungen Mädchen, die Straße entlang. Er schaut ihnen nach.
Plötzlich packt ihn Angst – wird er ein alter Mann sein, der den Frauen hinterherschaut? Wenn er das fürchtet, sieht er ein Gebiß mit sehr kleinen Zähnen. Bestimmt wird er billige Zigarren mit Plastikmundstücken rauchen. Weil er die immer in den linken Mundwinkel klemmt, ist der ausgeleiert. Er lächelt schief, als tropfe gelblicher Speichel herunter. Dabei lächelt er doch. Warum lächelt denn keine zurück?

Dror behauptet, das wichtigste sei es, fröhlich zu sein. Er behauptet, es sei hier schwer genug. Hier ist es ernst, sagt er, hier wird gestorben. Deswegen sind alle fröhlich. Ganz einfach.
Aber nicht Dror. Er arbeitet bei der Post, sagt er. Er organisiert das Verteilungswesen, sagt er, und bearbeitet besonders komplizierte Beschwerden. In langen, muffigen Gängen ohne Licht sitzen sie einer neben dem anderen mit mürrischen Gesichtern und warten auf harten und schmalen Holzbänken. Auf die Holzbänke ist grünliches Linoleum genagelt. Am äußersten Rand des Ganges liegt Drors Zimmer. Man kann sich darin umdrehen und einen Schritt nach rechts tun. Der Schreibtisch hat eine Schublade. Es gibt auch ein Fenster. Zu Pessach hat er einen Geschenkkarton von der Post bekommen, in dem war ein kleiner Ventilator.

Wir versammeln uns bei Sarah im Café und essen Beigele. Als wir um die rote, von Knoblauch scharfe Sauce bitten, nimmt Sarah mich beiseite und flüstert mir zu: Sie sei vom Donnerstag. Heute ist Sonntag. Eigentlich schmeckt auch der Kaffee scheußlich. Er hat die Farbe von grauem Filz. Und Sarah ist mürrisch. Mike ist zu dick, er verkündet es laut, und er hat einen kleinen Pinscher gekauft, der Sarah ankläfft. Sie läuft ihm hinterher, um ihn hinauszutreiben, den Pinscher. Aber da tun ihr die Hühneraugen weh. Würdig läßt sie von ihm ab und geht selbst hinaus, mit einem Stumpen in der Hand, den sie anzündet. Sie streift ihre Pantinen ab und preßt den stinkenden Stumpen auf ein Hühnerauge.

Das hat mir einer aus China mitgebracht, sagt sie triumphierend zu uns, ernsthaft nicken wir und verbeißen uns das Lachen. Lacht nur, sagt sie beleidigt, und was macht ihr, wenn ich schließe? Oder wenn ihr immer zahlen müßtet? Ficzio springt auf und küßt sie auf den Mund, nur das nicht! schreit er mit großen Gesten, und Sarah wischt ihn unwirsch auf einen Stuhl, pfui, küssen mich auch noch, meine Kunden, nicht genug, wenn ich einen küssen muß, an nichts lassen sie es fehlen, nörgeln und zahlen nicht und küssen auch noch. Soll ich mich küssen lassen? Sei froh, daß dich noch einer küßt, wenn du mich schon nicht heiraten willst, ruft Mike hinter seiner Zeitung. Ach du, sagt Sarah, du bist ja nur ein aus dem Leim gegangenes Faß, mit deinem Bauch. Heiraten, murmelt sie und rüttelt an der fauchenden Kaffeemaschine. Das fehlte noch.

Onkel Levy mit den Büchern (der ebenfalls Chajim heißt), hat auch immer bei Sarah gesessen. Manchmal hat er ein Glas Wein getrunken. Einmal hat er zwei Gläser Wein getrunken und hat Sarah erzählt, er sei nach Israel gekommen, weil er verheiratet war. Nu und? fragt Sarah, was ist das schon. Ich bin verheiratet gewesen, und ich habe geheiratet, sagt Onkel Levy. Und geschieden bin ich überhaupt nicht.
Über Palästina wußte ich nichts, nur, daß da Wüste ist.
Dann war da Lisa, und Lisa war schwanger.
In der Wüste, habe ich gedacht, erklärt Onkel Levy, werden sie schon nicht nach mir suchen. Und was, sagt Sarah.

Das haben sie auch nicht getan, schließt er melancholisch.

Aus dieser Zeit ungefähr stammt das Foto. Vor ein paar Jahren sind Menschen aus den Lagern Deutschlands und Europas gekommen. Einer hebt einen schweren Sack auf die Schulter. Die Schatten sind kurz, es muß Mittag sein. Nicht weit steht müßig ein Kind.
Zwei junge Frauen gehen zum Meer hinunter. Aber es wird da gebaut, ein Gerüst wird aufgestellt. Man sieht, sie werden umkehren müssen. Sie schlendern mit weißen Hüten. Vermutlich lachen sie über irgend etwas.

Vielleicht ist eine davon meine Nachbarin. Das Alter stimmt. Im Herbst 1945 ist sie als junges Mädchen aus Deutschland nach Palästina gekommen.
Nachts, wenn ich sie höre, sorge ich mich, daß sie nackt auf die Straße laufen wird oder in einem Nachthemd. Ihre Stimme hört nicht auf, sich zu überschlagen. Die ganze Zeit fällt ihre Stimme über sich selbst her. Und sie fügt sich Böses zu, wenn sie zwischen den Mülltonnen klappert. Sie reißt an den Halterungen. Sie spuckt voller Haß in den Abfall, zerrt an ihrem Nachthemd. Ein entsetzliches Bild. Sie hebt das Nachthemd, und plötzlich hockt sie sich auf ihren dünnen Beinen nieder und pinkelt. Ein dünnes Rinnsal. Dann steht sie auf, und vielleicht sieht sie sich für einen Augenblick selbst. Sie ist ganz still, und wenn sie die Treppen hinaufschleicht, möchte ich ihr, blind vor Zorn und Scham, entgegenlaufen.

Offensichtlich ist es ein anderer Tag. Dort haben wir uns kennengelernt, sagt Hannah und lacht. Mit einer Bewegung verändert sich alles. Mit einer Geste lassen sich Geschichten anbinden und losreißen, Seidenfäden, Pinselstriche für Landschaften aus Tusche, in denen jederzeit farbige Segel gesetzt werden können, jede Reise bis ans Ende der Welt.
Ich war in Jerusalem, sagt Hannah. Und die Berge von Moab waren tatsächlich blau.

Am Morgen steht in der Zeitung, man habe in Hebron zweihundert Hunde erschossen. Eine Unternehmung im Sinne der Gesundheit der Stadtbewohner. Heulende, verendende Hunde in den Straßen. Ausgangssperre. Keiner verläßt das Haus.
Keiner schläft.
Aber wäre ihnen mit Tollwut gedient?
Der zuständige Minister interveniert. Er wird, verspricht er, den Vorgang nicht auf sich beruhen lassen.
Aber Vorgänge beruhen auf sich selbst.
Nicht gründlich ausgeführt, werden sie ruchbar. Ein Mißgeschick.
Denn es handelt sich um einen alljährlichen Vorgang.
Außerdem hat es geregnet. Zwei Soldaten wurden verletzt, als sie auf eine Mine traten. Und zum erstenmal in diesem Jahr fährt der Pferdewagen mit den Wassermelonen durch die Straßen.

Wenn es sehr heiß wird, ist es am besten, Wassermelonen mit Schafskäse zu essen, erklärt Idith Wladimir. Man sieht sie häufig zusammen.

Er beherrscht die Kunst, sich sehr schnell anzuziehen. Immer ist er als erster fertig, plaudert, macht Kaffee oder etwas zu essen, legt Musik auf, balanciert. Die Kunst des Abschieds.

Warum ein Geschenk? Warum soll sie sich erinnern?

Sie muß sich ja nicht erinnern, sagt Amnon. Aber wenn sie es tut, dann soll es eine gute Erinnerung sein. Da er sehr groß ist, geht er behutsam, als müsse er sich und die Dinge immer wieder überzeugen, ihre Form zu bewahren. Großer Aufwand an Romantik für eine Nacht, sage ich.

Und was haben wir davon, immer weiter dies längst abgenutzte Spiel zu spielen? Israelis sind *dugri*, ruppig und aufrichtig, schlagen mit Wahrheiten um sich und einiges kaputt und erweisen sich im innersten Kern als warm und liebevoll, wozu es allerdings nicht zwangsläufig kommen muß.

Als wäre Trost billig zu haben und wir, Juden, Israelis, hätten genug Wahrheit, um für alle Zeit auf den Trost schöner Gesten zu verzichten, sagt Amnon.

Zum Beispiel gibt es fast jeden Tag einen Augenblick, in dem es möglich wäre, beinahe alles zu verändern.

Das Meer wäre auf der anderen Seite der Stadt. Die Schwalben spazierten über die Allenby-Street. Sarah

wäre ein schönes, junges Mädchen mit leichten Füßen.
Alle würden einander begrüßen.

Sie gehen nebeneinanderher, und ich sehe schon von weitem, wie ihr Gespräch am Rand des Streits entlangkratzt. Plötzlich bleibt sie stehen. Sie ist blaß.
Während sein Mund noch weiterspricht, sieht sich sein Rücken schon nach Hilfe um.

Plötzlich ist er klein in ihren Augen. Auch wenn sie ihn direkt ansieht, füllt er das Gesichtsfeld nur halb. Etwas bleibt leer. Ilana spürt, wie Mitleid sich festfrißt. Sie macht eine Handbewegung, um es zu verscheuchen.

Keiner entkommt der Sichtbarkeit.
In der Allenby-Street und auf dem Shuk und an jedem Kiosk werden Sonnenbrillen angeboten. Viele, viele Menschen versammeln sich und setzen rhythmisch, zum Protest, die Sonnenbrillen auf die Nase, eine zweite, eine dritte übereinander, seltsam stakende Gebilde vorm Gesicht. Und wie das Halbdunkel immer größer wird, lächeln sie einander zu. Wie schön jetzt alles ist! Muß man einander denn sehen, und so klar? Glücklich rücken sie näher zueinander.

Ein harmloser Wunsch schleicht sich ein: ein Sofa. Avner sorgt sich. Er bildet sich ein, seine Schritte würden kürzer. Er behält sie, die Sorge, für sich.

Es gibt Dinge, die er nicht herbeizuschaffen weiß. Forderungen sind zu erfüllen, und wenn er sie nicht erfüllt, kann ihm das den Hals brechen, denkt er und beugt sich zu ihr, um sie zu küssen. Der Kuß schnellt zurück, aber sie bemerkt es nicht. Seine Lippen halten den Atem an. Als sie aufsteht, schlägt er mit dem Kopf in ihr Gesicht. Au, ruft sie lachend und fährt mit der Hand in sein Haar; es wird dünner. Er schnürt die Turnschuhe zu. Der eine Schnürsenkel ist gerissen. Warum, denkt er bitter, und schleift mit seinen Fingern durch den Staub, warum kümmert sie sich nicht um den Haushalt?
Während sie im Laden sitzt, er beobachtet sie manchmal heimlich, und ihr Körper scheint ihm breiter und auf abstoßende Weise müßig, füllt sie den ganzen Laden mit ihren Gedanken. Mehr Platz brauchen sie längst nicht mehr, denkt sie böse. Immer noch, es ist schon warm, tragen orthodoxe Mädchen gestrickte Strümpfe und viele Schichten übereinander, um das weiße Leuchten ihrer Haut zu verbergen. Zwischen den Blicken gehen sie hindurch. Aber auch mich sieht keiner mehr, denkt sie: zwischen einer kleinen Tochter und einem mageren Mann.
Du hast mich im Traum erschossen, sagt sie ruhig und wendet sich anderem zu, macht ein Brot für Schirah.
Er steht ganz still.
Sie merkt nicht, daß er geht. Er geht in den Keller, dort ist immer etwas zu erledigen, würde sie denken, wenn sie sein Fortsein bemerkte.
Aber er hat doch gar nichts getan.

Viel Unzufriedenheit, viele Arten Unfrieden kann man nennen: das wirkliche Leben ist nicht hier, es ist woanders. Und anderswo sind immer mehr Leute.
Es gibt die Dinge, die da sind, und solche, die nicht da sind. Was fehlt, kann man nicht zählen, sagt der Prediger Salomon.

In allen Bäumen versammeln sich die Vögel und halten sich nicht immer an die Jahreszeit. Sie sind ein Gelächter über dem Lärm, und du findest plötzlich etwas, das du vor einem Jahr stundenlang gesucht hast.

Hin und wieder tritt durch eine unwesentliche und vergessene Pforte der Messias ein. Letztendlich ist es auch gar nicht der Messias. Sie laufen hastig, weil sie etwas vergessen haben, stolpern und fangen angesichts einer kleinen Frau mit weißen Handschuhen und einem Hündchen an zu lachen. Zwei Tage sind sie kaum dazu gekommen, sich zu küssen, und ihre Lippen freuen sich bis in die Zungenspitzen. Leichter Wind kommt vom Meer. Warmer Regen. Der Himmel ist auch in Tel Aviv klar. Aus dem Fenster sieht man einen Baum. Sie können einander so anschauen, daß sich die Welt vervielfacht.

Wenn sie sich nicht mehr lieben, dann wird die Welt immer kleiner. Bis sie ihre normalen Ausmaße hat. Und noch kleiner, bis sie kleiner ist als die Welt drumherum.

Sie gehen am Strand spazieren, und Schirah findet eine Meeresschildkröte. Zwar ist sie tot, aber sie hat einen schwarzweißen Panzer. Weil Schirah noch nie eine Meeresschildkröte gesehen hat, denkt sie, es sei eine besonders stabile Qualle.

In Jaffo verfluchen Orthodoxe die Bauarbeiter. Auf den Traktoren. Auf den Baggern. Entsetzliche Flüche stoßen sie aus. Wer hier wohnen wird, ein Geschäft aufmachen: krank werden soll er, sterben wird er, all sein Geld soll er verlieren.

Wenn eine Frau bei Jaron ist, dann sitzen sie in der großen Küche am Tisch und trinken Wein oder Kaffee. Je nachdem. Sie raucht. Mit der Hand, die nicht die Zigarette hält, faßt sie ihr langes, schwarzes Haar zusammen und wirft es wieder und wieder hinter ihren Kopf. Es kommt ihm vor, als wolle sie ihn auf dessen Gewicht aufmerksam machen. Als er aufsteht, um eine Kerze zu holen, hantiert er länger als nötig hinter ihrem Rücken. Er berührt ihre Haare sehr vorsichtig, und wie soll sie es wohl bemerken, da er sie gleichzeitig mit irritierenden Fragen über ihren vorigen Liebhaber traktiert? Aber das ist es: er berührt ihr Haar, ohne daß sie es bemerkt, denn das Haar ist tot. Tote Zellen, vom Körper abgestoßen. Plötzlich weiß er nicht, worüber er mit ihr sprechen soll. Über seine Arbeit? Über Musik? Er hat sich gerade heute eine neue CD gekauft, aber wer kennt hier den Namen John Cage? Und darum geht es

auch nicht, das wissen sie beide. Sie ist nicht deswegen mitgekommen.
Wäre es das erste Mal, daß er eine Frau in ihre Wohnung mitnimmt, nachdem Hannah ausgezogen ist, fühlte er sich berechtigt, sie fortzuschicken, doch es waren schon zwei vor ihr da. Warum ist sie überhaupt mitgekommen?

Manchmal kommt es mir so vor, als kennten wir uns mit unseren Verkleidungen nicht aus. Jael tut durchaus, wozu sie Lust hat. Sie lebt allein: soll sie sich Askese auferlegen?
Plötzlich denkt sie an die Frau, die hier gelebt hat: wenige Spuren in der Wohnung, aber sie ist sicher, daß nicht Jaron sie eingerichtet hat.
Es geht nicht darum, ob sie John Cage kennt. Jaron weiß nicht, daß sie französische Literatur studiert hat. Er fragt nicht. Vermutlich sind ihre Eltern aus Marokko. Und sie ist ohne weiteres mitgekommen. Eine Frau. Geschieden. Alleinerziehende Mutter. Für alles zu haben.
Ja, sie hat es satt, immer allein zu schlafen. Morgens könnte sie aufwachen und fände die Berührung ihrer Hände nicht.
Er ist fast grob, als er sie auszieht.

Jael kann sich ohne weiteres hinter langem Haar und seinen unzweideutigen Aufforderungen verbergen.
In ihrer Wohnung wird Jaron nicht schlafen, und er

wird sie nicht mit ihrer Tochter sehen. Essen. Spielen. Baden.

Wenn Hannah sagt: da haben wir uns kennengelernt, dann ist es nicht immer derselbe, den sie kennengelernt hat. Sie wird diesen Satz mehrmals und immer wieder sagen. Nicht immer weiß ich, von wem die Rede ist. Hannah weiß immer den Namen. Auf was kommt es dabei an?

Man muß sie schon ganz vorsichtig anfassen, die Jeans, sonst fallen sie auseinander. Also hebe ich sie behutsam wie einen Schwerverletzten auf, bette sie in eine Tasche und trage sie hinaus, um den geeigneten Schneider zu finden. Erstens ist mir kaum Geld geblieben diesen Monat, und zweitens mag ich gerade diese Jeans: ich möchte nicht, daß einer mir sie mit spitzen Fingern zurückgibt und mir mit israelischer Patzigkeit sagt, ich solle mir ein neues Paar kaufen. Ich gehe in die Yehuda-haLevy-Street, wo ich einen Schneider gesehen habe, in dessen Schaufenster ein Schild hängt: Alle Arten von Reparaturen. Das Schild ist sorgfältig von Hand geschrieben und das Wort »alle« unterstrichen.
Es ist ein kleiner und fetter Mann mit einem schmuddeligen Schnurrbart, der sich auf seinem Stuhl zurücklehnt, um mich zu mustern. Ausgiebig. Er trägt eine ausgebeulte, karierte Hose und ein Hemd mit einem spitzen und abgeschabten Kragen. Ich halte vorsichtig die Jeans zwischen uns und habe längst ein ungutes Gefühl.

Er fragt mich, wie alt ich sei. Dann nickt er mit dem Kopf. Du verstehst nicht, sagt er: das soll so sein! Das ist die Mode! Er mustert mich wieder. Das Fleisch, sagt er bedeutsam, man soll die Knie sehen. Ich, sagt er stolz, ich mache das nicht; und da ich sogar zehn Schekel mehr biete, reckt er sich, faßt mich an der Schulter und sagt nach großer Überlegung: absichtlich, verstehst du?

Manchmal stellt er sich vor, daß eine Freundin von Ilana vorbeikommt, die nicht da ist, und er ihr Kaffee anbietet. Sie sitzen in der Küche und unterhalten sich. Dann wird es Abend, die Stunden zwischen den Sonnen, sagt man, oder auch zwischen den Abenden, und sie gehen hinauf aufs Dach. Er legt seine Hände um ihre Brüste. So stehen sie schweigend, bis Ofer nach Hause kommt oder Ilana. Ilana und ihre Ansichten, ihre Müdigkeit. Ilanas Enttäuschung. Warum läßt du ihn Cornflakes essen? Kannst du ihm nicht etwas kochen? Er hat eine Flasche Wein gekauft und einen Tisch im »Kimmel« reserviert. Aber sie zieht schon eine Pfanne, Eier, Brot aus dem Schrank. Ein andermal. Ilana schaut David an. David schaut Ilana an. Sie haben streitbare Haushaltsgegenstände in den Händen, müde Gesichter und klobige Bewegungen. Alle beide. David fängt an zu tanzen. Ein Teller. Ein Glas. Ein Spiegelei groß wie ein Wagenrad. Streichhölzer für Feuerwerke. Sie müssen lachen.
David nimmt den Weißwein aus dem Kühlschrank. Übrigens besteht er darauf, sie im Restaurant zu erwar-

ten. Während sie Ofer eine Geschichte vorliest, zieht er sich an und geht leise aus dem Haus.

Alles geht so weiter. Wir sitzen im Café und besprechen die Neuigkeiten. Jaron kommt mit einem Mädchen im Arm vorbei. Dror prustet los. Er war dabei, als Jaron sie kennengelernt hat. Sie wollten in einem Kiosk Zigaretten kaufen. Na und? Und Jaron wollte sie unbedingt wiedertreffen, also sind wir durch alle Bars in Jaffo gelaufen, und er hat sich den Hals verrenkt. Dann hat er mich gefragt, ob ich ihm helfen kann. Ich habe mit ihm gewettet, daß sie schon wieder in dem Kiosk ist, mein Gott, sie hat darauf gewartet, daß einer sie aufsammelt.

Manchmal möchte man all die Schmerzen einsammeln. Sie schleifen über den Boden und sind schon ein bißchen schmutzig geworden. Man sollte sie abklopfen.
Ich denke mir Bilder in einem Album. Wie die Vögel, deren Abdrücke wir als Kinder im Schnee gelassen haben. Hingestürzt längs, die Arme über dem Kopf, hochgehoben, fallengelassen ein wenig tiefer, ein wenig verschoben, zu weiten Flügeln aufgespannt. Beginnt der Schnee zu schmelzen, so schmelzen als erstes diese Zeichen, ausgehöhlte Abdrücke eines begrenzten Willens, Spuren zu hinterlassen. Spuren gerade für die Zeit, die man sie betrachtet.

Hier und dort gehen ein Mann, eine Frau mit ihren Hunden spazieren. Da es Shabbath ist, werden sie den Abend mit ihren Familien verbracht haben. Vor dem Fernseher. Um den Eßtisch herum. Sie fühlen sich schwer. Was sie essen, sättigt sie nicht. Stell dir vor, alles, was eine Absicht nicht erfüllt, fügt sich der Trauer hinzu.
Schau dir die Fotos gut an. Was siehst du?
Sie verschieben sich. Dort, wo sie nicht bunt sind, sondern schwarz und weiß, zeigt sich, daß sie ein Abbild sind. Wie die Träume von Toten. Nebenan sitzen auf grünen Bänken die Beschwerdeführer. Ihre Schreibmaschinen sind schwarz. Die Buchstaben leuchten. Briefe, die nachts geschrieben werden, verändern die Augenfarbe desjenigen, der sie liest. Gierig warten die Katzen. Sie reißen die Schnipsel aus den Maschinen und stehlen sie aus den kleinen, grauen Papierkörben, die neben den Schreibern stehen.

Plötzlich wird Sarah verrückt, sagen alle. Sie schreibt die Namen ihrer Kunden auf kleine, blaue Zettel und wirft sie durcheinander. Immer zwei Zettel gehören zusammen, sagt sie am Anfang. Aber dann überlegt sie und denkt sich, daß eigentlich immer drei Zettel zusammengehören. Alle Häuser und Wohnungen öffnen sich. Wände verschieben sich. Sind sie verblüfft, die Menschen, die sich da mit einem Mal zusammenfinden? Sie suchen, Tassen und Gläser und Kaffee und das Salz. Natürlich denken sie, daß Sarah übergeschnappt sein muß. Aber drei Tage. Was sind schon drei Tage. Da sie einander nicht kennen und nicht die Verhältnisse, sind sie vorsichtig. Da es drei Tage sind, lachen sie. Liegen vorsichtig nebeneinander im Bett, ohne sich zu berühren, lachen. Schlafen miteinander und lachen. Ziehen sich im Dunkeln aus, in fremden Zimmern, stoßen an Stühle und Kanten und lachen.

Zusammenhänge sind lose wie Zeitungsblätter. Ein wenig Wind, und sie treiben auseinander. Leichthin mag man sie falten: eine Schwalbe, ein Hut, ein Schiff. Jeden Augenblick kann alles unterbrochen sein, wie die Sätze, die man kaum je zu Ende bringt. Ist einem aus der Hand gefallen? – wird später wieder aufgehoben. Jede Minute schließt man sich einem anderen an, geht ein paar Meter, kehrt zurück. Solange genug zu erzählen ist, solange immer Zuhörer da sind. Wer stehenbleibt, allein steht, hat Pech gehabt.

Ich wünsche mir: eine kleine Bühne aus Pappkarton, sorgfältig gemalte Kulissen und einen schweren, roten Vorhang aus Samt. Ich wünsche mir Handpuppen und daß ich eine ausreichende Anzahl geschickter Hände hätte.
Wenn nicht, wird diese Angelegenheit kaum zu einem Ende kommen.
Im Gegenteil: lauter Einzelheiten sammeln sich an und bilden Knoten.

Es gibt hier keine dramatische Lösung, hier noch weniger als anderswo. Die Toten in den Autobussen, die Verletzten; sie müssen nicht verschwiegen werden. Aber wir, wir leben. Und die Katastrophen geschehen weiter. Schon sind wir nicht mehr müde. Immer ist schon der nächste Morgen.

Wenn es beinahe Sommer wird, dann ist die Kälte unerträglich. Es hat keinen Sinn mehr zu heizen. Und die Sonne scheint. Man hat doch schon so lange gewartet.

Gerne hätte ich es, daß sie alle ans Meer hinuntergehen, an den Strand. Sarah möchte ich einmal dort sehen. Einmal möchte ich alle zusammen sehen. Weil sie nicht wissen, wer sie gerufen hat, werden sie unruhig. Sie laufen ein bißchen hin und her. Eine große Promenade.

In einem Antiquariat habe ich ein Buch über Jerusalem gefunden, das ein Arzt, er hat Jahre dort gelebt, geschrieben hat. »Wenn ich nun auch von der Meinung weit entfernt bin, ausschließlich Neues über Jerusalem geschrieben zu haben, so bin ich mir doch bewußt, mich stets bemüht zu haben, Lücken auszufüllen, Dunkles aufzuhellen, Irriges zu berichtigen und hauptsächlich die Verhältnisse mit aller Unparteilichkeit darzustellen.«
1877 hat er es im Selbstverlag veröffentlicht.

Von den meisten Dachterrassen hat man eine schöne, das Auge und das Herz erfreuende Aussicht.
Das Schaf (al Charub) kommt sehr zahlreich vor und ist von mittlerer, oft auch von außerordentlicher Größe.
Der Esel (al Chmar) ist klein und von graubrauner Farbe. Er ist von außerordentlicher Güte und Ausdauer.
Die Ziegen (al Dschidi) haben ohne Ausnahme lange Hängeohren.

Einer geht vorbei und summt ein Lied. Und wer das Lied hört, vergißt nichts mehr. Erinnert er sich an das Lied? Geschworen hätte er, daß er es kennt. Summt es Tage vor sich hin. Die anderen summen auch. Was summt ihr denn? fragt Sarah den Onkel Levy mürrisch und zeigt hinüber zu dem langen Tisch. Da sitzen sie. Wladimir. Idith. Jaron. Hannah. Der Schatten des Fischhändlers mit seiner Frau, und Rayah Diamand bei ihnen. Chajim. David und Ilana. Über die Straße laufen Ruth und Avner, er trägt Schirah auf den Schultern, sie winken. Der Advokat Samov liest aus einem Buch vor, neben ihm liegt ein Blumenstrauß. Sie summen nicht, sagt Onkel Levy, sie lachen. Sarah nickt. Der Wind vom Meer, sagt sie, es ist das Meer.

Deutschsprachige Gegenwartsliteratur in der edition suhrkamp Eine Auswahl

Paul Brodowsky
- Milch Holz Katzen. es 2267. 72 Seiten

Esther Dischereit
- Joëmis Tisch. Eine jüdische Geschichte. es 1492. 122 Seiten
- Übungen, jüdisch zu sein. Aufsätze. es 2067. 150 Seiten

Dirk Dobbrow
- Alina westwärts / Paradies. Stücke und Materialien. es 3428. 204 Seiten
- Late Night. Legoland. Stücke und Materialien. es 3403. 204 Seiten
- Der Mann der Polizistin. Roman. es 2237. 190 Seiten

Kurt Drawert
- Alles ist einfach. Stück in sieben Szenen. es 1951. 116 Seiten
- Haus ohne Menschen. Zeitmitschriften. es 1831. 120 Seiten
- Privateigentum. Gedichte. es 1584. 138 Seiten
- Rückseiten der Herrlichkeit. Texte und Kontexte. es 2211. 256 Seiten
- Spiegelland. Ein deutscher Monolog. es 1715. 157 Seiten
- Steinzeit. es 2151. 160 Seiten

Oswald Egger
- Herde der Rede. Poem. es 2109. 380 Seiten
- Nichts, das ist. Gedichte. es 2269. 160 Seiten

NF 313/1/5.04

Werner Fritsch
- Aller Seelen. Golgatha. Stücke und Materialien. es 3402. 200 Seiten
- CHROMA. EULEN:SPIEGEL. Stücke und Materialien. es 3419. 201 Seiten
- Es gibt keine Sünde im Süden des Herzens. Stücke. es 2117. 302 Seiten
- Fleischwolf. Gefecht. es 1650. 112 Seiten
- Die lustigen Weiber von Wiesau. Stück und Materialien. es 3400. 189 Seiten
- Schwejk? Hydra Krieg. Stücke und Materialien. es 3437. 224 Seiten
- Steinbruch. es 1554. 53 Seiten

Rainald Goetz
- Celebration. Texte und Bilder zur Nacht. es 2118. 286 Seiten

Dieter M. Gräf
- Rauschstudie. Vater + Sohn. Gedichte. es 1888. 86 Seiten

Durs Grünbein
- Grauzone morgens. Gedichte. es 1507. 93 Seiten
- Warum schriftlos leben? Aufsätze. es 2435. 122 Seiten

Norbert Gstrein
- Anderntags. Erzählung. es 1625. 116 Seiten
- Einer. Erzählung. es 1483 und es 2423. 118 Seiten

Katharina Hacker
- Morpheus oder Der Schnabelschuh. es 2092. 126 Seiten
- Tel Aviv. Eine Stadterzählung. es 2008. 145 Seiten

Johannes Jansen
- Halbschlaf. Tag Nacht Gedanken. es 2380. 85 Seiten

NF 313/2/5.04

- heimat ... abgang ... mehr geht nicht. ansätze. mit zeichnungen von norman lindner. es 1932. 116 Seiten
- Reisswolf. Aufzeichnungen. es 1693. 67 Seiten
- Splittergraben. Aufzeichnungen II. Mit zahlreichen Abbildungen. es 1873. 116 Seiten
- Verfeinerung der Einzelheiten. Erzählung. es 2223. 112 Seiten

Angela Krauß
- Die Gesamtliebe und die Einzelliebe. Frankfurter Poetikvorlesungen. es 2389. 103 Seiten

Barbara Köhler
- Deutsches Roulette. Gedichte 1984-1989. es 1642. 85 Seiten
- Wittgensteins Nichte. vermischte schriften / mixed media. es 2153. 175 Seiten

Uwe Kolbe
- Abschiede. Und andere Liebesgedichte. es 1178. 82 Seiten

Ute-Christine Krupp
- Alle reden davon. Roman. es 2235. 140 Seiten
- Greenwichprosa. es 2029. 102 Seiten

Christian Lehnert
- Der Augen Aufgang. Gedichte. es 2101. 112 Seiten
- Der gefesselte Sänger. Gedichte. es 2028. 92 Seiten
- Ich werde sehen, schweigen, hören. es 2369. 100 Seiten

Jo Lendle
- Unter Mardern. es 2111. 99 Seiten

Thomas Meinecke
- The Church of John F. Kennedy. Roman. es 1997. 245 Seiten

NF 313/3/5.04

Bodo Morshäuser
- Hauptsache Deutsch. es 1626. 205 Seiten
- Revolver. Vier Erzählungen. es 1465. 140 Seiten
- Warten auf den Führer. es 1879. 142 Seiten

José F. A. Oliver
- fernlautmetz. Gedichte. es 2212. 80 Seiten
- nachtrandspuren. Gedichte. es 2307. 128 Seiten

Albert Ostermaier
- Death Valley Junction. Stück und Materialien. es 3401. 111 Seiten
- Erreger / Es ist Zeit. Abriss. Stücke und Materialien. es 3421. 111 Seiten
- fremdkörper hautnah. Gedichte. es 2032. 100 Seiten
- Herz Vers Sagen. Gedichte. es 1950. 73 Seiten
- Katakomben. Auf Sand. Stücke und Materialien. es 3433. 144 Seiten
- Letzter Aufruf. 99 Grad. Stücke und Materialien. es 3417. 150 Seiten
- The Making Of. Radio Noir. Stücke. es 2130. 192 Seiten
- VATERSPRACHE. es 2436. 60 Seiten

Doron Rabinovici
- Credo und Credit. Einmischungen. es 2216. 160 Seiten
- Österreich. Berichte aus Quarantanien. Herausgegeben von Isolde Charim und Doron Rabinovici. es 2184. 172 Seiten
- Papirnik. Stories. es 1889. 134 Seiten

Ilma Rakusa
- Love after Love. Gedichte. es 2251. 68 Seiten

Patrick Roth
- Ins Tal der Schatten. Frankfurter Poetikvorlesungen. Mit CD. es 2277. 120 Seiten

NF 313/4/5.04

Christoph Schlingensief

- Schlingensiefs »Ausländer raus!« Bitte liebt Österreich. Herausgegeben von Matthias Lilienthal und Claus Philipp. es 2210. 272 Seiten
- Christoph Schlingensiefs ›Nazis rein‹. Herausgegeben von Thekla Heineke und Sandra Umathum. es 2296. 328 Seiten

Lutz Seiler

- pech & blende. Gedichte. es 2161. 90 Seiten
- Sonntags dachte ich an Gott. Aufsätze. es 2314. 140 Seiten

Silke Scheuermann

- Der Tag an dem die Möwen zweistimmig sangen. Gedichte. es 2239. 90 Seiten

Hans-Ulrich Treichel

- Der einzige Gast. Gedichte. es 1904. 71 Seiten
- Der Entwurf des Autors. Frankfurter Poetikvorlesungen. es 2193. 117 Seiten
- Liebe Not. Gedichte. es 1373. 79 Seiten
- Über die Schrift hinaus. Essays zur Literatur. es 2144. 241 Seiten

Jamal Tuschick

- Bis zum Ende der B-Seite. Roman. es 2333. 186 Seiten
- Kattenbeat. Roman in drei Stücken. es 2234. 180 Seiten
- Keine große Geschichte. Roman. es 2166. 200 Seiten

Christian Uetz

- Don San Juan. es 2263. 80 Seiten
- Das Sternbild versiegt. Gedichte. es 2376. 96 Seiten

Anne Weber

- Ida erfindet das Schießpulver. es 2108. 120 Seiten

NF 313/5/5.04

Frankfurter Poetik-Vorlesungen im Suhrkamp Verlag

Die Gastdozentur für Poetik an der Johann Wolfgang Goethe-Universität in Frankfurt/Main wurde zum ersten Mal im Wintersemester 1959/60 vergeben. Erste Dozentin war Ingeborg Bachmann. Diese Tradition wurde 1968 unterbrochen und 1979 vom Suhrkamp Verlag und der Universität mit Uwe Johnson fortgesetzt.

Uwe Johnson. Begleitumstände. Mit Fotografien.
es 1820. 464 Seiten (1979)

Adolf Muschg. Literatur als Therapie? Ein Exkurs über das Heilsame und das Unheilbare. es 1065. 204 Seiten (1979/80)

Peter Rühmkorf. agar agar – zaurzaurim. Zur Naturgeschichte des Reims und der menschlichen Anklangsnerven.
es 1307. 185 Seiten (1980)

Martin Walser. Selbstbewußtsein und Ironie.
BS 1222. 213 Seiten (1980/81)

Paul Nizon. Am Schreiben gehen. Mit Abbildungen.
es 1328. 137 Seiten (1984)

Hermann Lenz. Leben und Schreiben. es 1425. 168 Seiten (1986)

Hans Mayer. »Gelebte Literatur«. es 1427. 119 Seiten (1986/87)

NF 311/1/4.04

Peter Sloterdijk. Zur Welt kommen – Zur Sprache kommen. es 1505. 175 Seiten (1988)

Christoph Meckel. Von den Luftgeschäften der Poesie. es 1578. 119 Seiten (1988/89)

Jurek Becker. Warnung vor dem Schriftsteller. es 1601. 90 Seiten (1989)

Karl Dedecius. Poetik der Polen. es 1690. 135 Seiten (1990/91)

Bodo Kirchhoff. Legenden um den eigenen Körper. Mit Abbildungen. es 1944. 182 Seiten (1994/95)

Dieter Wellershoff. Das Schimmern der Schlangenhaut. Existentielle und literarische Aspekte des literarischen Textes. es 1991. 142 Seiten (1995/96)

Marlene Streeruwitz. Können. Mögen. Dürfen. Sollen. Wollen. Müssen. Lassen. es 2086. 140 Seiten (1997/98)

Hans-Ulrich Treichel. Der Entwurf des Autors. es 2193. 117 Seiten (1999/2000)

Patrick Roth. Ins Tal der Schatten. Mit CD. es 2277. 176 Seiten (2001/2002)

Elisabeth Borchers. Lichtwelten. Abgedunkelte Räume. es 2324. 160 Seiten (2003)

Angela Krauß. Die Gesamtliebe und die Einzelliebe. es 2389. 103 Seiten (2004)

NF 311/2/4.04